HUMAN
にほんご90日

90 Days of Japanese Language

①

ヒューマン・アカデミー教材開発室
星野恵子／辻 和子／村澤慶昭

UNICOM

音声について

音声はMP3ファイルをZIP形式で圧縮してダウンロードサイトに掲載してあります。下記のサイトからダウンロードしてご利用ください。

ファイルを使用するにはパスワードが必要です。

音声ファイルの使用方法はご自身の機器の再生方法の説明書を参照してください。

ダウンロード方法

1）ご使用のブラウザ（safari、Google chromeなど）で下記のサイトへアクセスして下さい。

https://www.unicom-lra.co.jp/ja90/ja90_1_LSTN_DL.html

2）ダウンロードするファイルとそのパスワード

ファイル名　にほんご９０日（１）.zip　パスワード　UCD-010-01-B

※サイトやパスワードは英数半角で大文字、小文字に注意して入力して下さい。
※上記の音声ファイルは著作権によって保護されいます、無断転載複製を禁じます。

はじめに

《本書の特徴》

「教える側にとっては何より使いやすく、学習者にとっては何よりわかりやすいという教科書がほしい」。日本語教師のこのような願いが本書作成の出発点であり、作成作業全体を通じての原動力ともなった。そして、作成スタッフのイメージする「教師の側からの使いやすさ」が本書の「一日一課」というコンセプトを生み出した。すなわち、初級の標準的な学習期間約6ヵ月（90日）で初級の必要事項を学ぶことと設定し、その項目を全90課に配分した。これによって、1課を何回かに分けるスケジュール作りや教師間の引き継ぎ作業のわずらわしさから解放され、コース全体の進度の狂いも避けられ、とりわけ教師の授業準備がしやすくなるのではないかと考えた。また、「学習者の側からのわかりやすさ」を実現するためには、視覚的な媒介、絵や図や表などが学習者の理解の大きな助けになるとの考えから、イラストをふんだんに取り入れるべく努めた。

《各課の構成、利用法》

各課は、「ことば」「会話」「文の形」「形の練習」「文の練習」の5部から成る。

「ことば」	課のはじめに新出語を絵で表した。課の導入、学習のウォーミングアップとしての役割も持つ。初級でこそ可能な絵による語彙導入であるが、語句によっては、導入されるべき語彙と学習者の理解との間のズレが誤解を生み出す恐れもあるので、教師は十分に注意し、学習者が絵からその語句について得た概念が正しいものかどうかをチェックする必要がある。なお、絵では表しにくい語句は頁下に文字のまま提出してある。別冊「マニュアル」の語句の翻訳を利用されたい。
「会話」	学習者に最も身近だと思われる日本語学校を中心の舞台とし、学校の学生、教師、事務の人々、また、アルバイト先の職場の人々が登場する。実際には、語彙、文型、シラバスが導入された後、課の最後に学習するのが望ましい。各課に二つ以上の会話が入れられているが、学習者同士で会話ができるようになるまで練習をすれば効果的である。
「文の形」	課の要の部分。導入項目を構築的に示し、典型的な用例が出されている。このシラバスが実際に使われる場面を示すために教師は何らかのパフォーマンスをする必要もあり、教師の工夫のしどころでもある。別冊「マニュアル」により詳しい解説がある。
「形の練習」	シラバスの核の部分を取り出して練習し、文全体の練習に発展する土台を作る。ここでは徹底的に口を動かし、慣れるまで練習させるのが望ましい。巻末別冊に解答がある。
「文の練習」	場面に応じて文が言えるように練習する。教師のリード次第で、最終的にはペア練習やロールプレイなどのアクティビティーに発展させることも可能である。クラスでは口頭練習に終始するが、この部分をコピーし宿題として課せば、書く練習ともなり、学習事項の確認と定着のために有効である。巻末別冊に解答がある。

＊本書を使用しての学習時間は、1課に120〜180分ほどを充てるのが標準と考えられるが、漢字の練習を加えるなど、条件や状況に応じての加減は当然可能である。

＊漢字の扱いについては、特別な配慮はしていない。できるだけルビをつけてあるので、学習者はそれぞれの漢字習得能力に応じて学習することになる。別冊「漢字ノート」も利用されたい。

FOREWARD TO THE READER

In this textbook series (3 Books 90 Lessons) there are all articles of study include for the Japanese beginner. One lesson is comprised of 5 parts WORDS, CONVERSATION, SENTENCE STRUCTURES, STRUCTURE DRILLS, and SENTENCE DRILLS.

WORDS

New words are shown in the form of pictures in order for immediate and easy recognition of their meanings. Words that are hard to express through pictures will be described through letters. Please look up the translations of words that are still too difficult to understand, despite the pictures and letters, in the separate book titled "Explanation Guide."

CONVERSATION

The conversations are based on many daily scenes that occur amongst Japanese people and students from around the world. Listen to the many useful conversational phrases on the CD and practice until you can say them smoothly. If, you do this then you should be well on your way to becoming quite proficient in Japanese. The translations of the conversations are in the separate book titled "Explanation Guide."

SENTENCE STRUCTURE

We will cover the main points of grammar in this part. It is important in the study of Japanese grammar to understand and remember the sentence structure (sentence pattern). On the page "Sentence Structure" the grammar and sentence patterns are described in an easy to understand graph. There are also a variety of well-used easy to understand example sentences. In the separate book "Explanation Guide" there is also a detailed explanation of the grammar.

STRUCTURE DRILLS

This is a basic practice of the grammar. Since it incorporates short sentences, words and phrases,it is important to say them out loud repeatedly for practice. The solutions are in the back of the textbook in order to check your answers.

SENTENCE DRILLS

This part is to help you understand how to apply the sentence pattern and to practice it so that you can use it in real situations. Create sentences after looking at the pictures, examples and after appreciating the given situation. Try writing down the sentences you have created and check them with the solutions in the back of the book. Then, practice until you can say the sentences easily.

*You shoud use "Kanji-note" for your studying Kanji.

前言「致诸位学习者」

在这本教科书里收入了初级日语的全部学习项目。
每篇课文由词汇，会话，句子形态，形态练习和句型练习五部分组成。

「词汇」
　　为了便于尽快地理解新词汇的意思，采用图画来表示词汇。用图难以表达语意的词汇，仅用文字来表示。即使看图也不太明确其意的，以及用文字表示的词汇，也可以通过附册《解说书》的翻译来查阅其含意。

「会话」
　　是来自各个国家的学生和一些日本人，在日常各种各样的情景下进行的对话。希望您听着ＣＤ（激光唱片）进行充分的练习，直至能够流畅地说话为止。会话的翻译在附册的《解说书》里。

「句子形态」
　　学习语法的要点。理解而掌握句子的形态（句型）对于学习日语语法来说十分重要。在「句子形态」这页中，语法和句型用表等简明易懂地表示。同时也列出许多常用并浅显易懂的例句。在附册的《解说书》里也有详细的语法说明。

「形态练习」
　　是语法的基本练习。因为是短句和词句的练习，所以发出声音读，反复多次地练习很重要。附在卷末的解答可用于核对答案。

「句型练习」
　　为了理解如何使用句型,并且能实际运用之而做的练习。请看图和例子，在理解其场景之下造句。试将所造的句子写下来,与卷末的答案核对一下。然后，为能说出优美的文句而进行充分地练习吧。

＊对于汉字的学习，请使用附册的《汉字练习》。

머리말 학습자의 여러분께

본 교과서(3권90과)에는, 일본어초급의 전학습과정이 수록되어 있습니다. 한 과는, "말" "회화" "문형" "문형연습" "문장연습"의 다섯 부분으로 이루어져 있습니다.

"말"
새로운 단어의 의미를 알기 쉽도록 단어를 그림으로 표시했습니다. 그림으로 표기하기 가 어려운 말에 대해서는 글자만으로 표시했습니다. 그림을 봐도 의미를 잘 모르는 말이나 글자만으로 나타낸 말은 별책부록의 "해설서" 번역부분에서 의미를 알 수 있도록 했습니다.

"회화"
여러 나라 학생과 일본인들이 일상생활에서 사용하는 회화입니다. 도움이 되는 표현이 많이 있으므로 CD를 듣고 자유롭게 말할 수 있을 만큼 충분히 연습해 주십시오 그러면 회화가 능숙해 질 것입니다. 회화해설은 별책부록 "해설서"에 있습니다.

"문형"
문법의 포인트를 공부합니다. 일본어 문법학습은 문의 형태(문형)를 이해해서 기억하는 것이 중요합니다. 이 "문형"페이지에는 문법이나 문형을 알기 쉽도록 표등으로 표시했습니다. 자주 쓰이는 이해하기 쉬운 예문도 많습니다. 별책부록의 해설서에도 자세한 문법설명이 있습니다.

"문형연습"
기본적인 문법 연습입니다. 짧은 문장이나 어구 연습이므로 소리내어 여러번 반복연습하는 것이 중요합니다. 책 뒤쪽에 있는 해답에서 답을 확인할 수 있습니다.

"문장연습"
문형이 어떻게 쓰이는지를 이해하고 실제 사용할 수 있게 하기 위한 연습입니다. 그림이나 예를 보고 어떤 장면인지를 이해한 다음에 문장을 만들어 보십시오. 만든 문장을 써보고 책 뒤쪽에 있는 해답에서 맞춰 보십시오. 그리고 문장을 유창하게 말할 수 있도록 연습해 보십시오.

*한자공부는 별책부록의 "한자연습"을 사용하십시오.

■学習事項一覧■

第1課	～は～です・ではありません／～も／～の～
第2課	これ・それ・あれ・どれ／この・その・あの・どの／(私)のです
第3課	（行き）ます・ません・ました・ませんでした／～で～へ行きます
第4課	【ます形】　～（し）ます／～で～（し）ます／～時に／～から～まで／～と～
第5課	ここ・そこ・あそこ／います・あります／どこですか／～や～や～など
第6課	【い形容詞　現在】　～は（頭）が（いい）です
第7課	【な形容詞　現在】　とても・ちょっと・あまり
第8課	【い形容詞　過去】　（はさみ）で（切ります）
第9課	【な形容詞　過去】　～に会います／～。でも～
第10課	すきです・きらいです／どうしてですか・～から
第11課	上手です・下手です
第12課	ほしいです／いくらですか・～円です／どこも・何も・だれも
第13課	【助数詞】　～をください／いつも・よく・ときどき・ぜんぜん／～か～
第14課	～たいです
第15課	（映画を見）に行きます／～ましょう／だれか・どこか・何か／それから
第16課	【て形】　～てください／（勉強し）ています
第17課	（ぼうしをかぶっ）ています／（結婚し）ています
第18課	～て、～て／～てから
第19課	【形容詞のて形】　（小さく）て（軽い）です／～て、いいです
第20課	～てもいいです／てはいけません／もう・まだ
第21課	【ない形】　～ないでください
第22課	～なければなりません／～なくてもいいです／～までに
第23課	できます・わかります／～方
第24課	【辞書形】　～ことができます／なかなか～ことができません
第25課	趣味は～ことです／～まえに
第26課	【た形】　～あとで
第27課	～たことがあります／～たり～たりします／～しか
第28課	【普通形】　行く？
第29課	～と思います／でしょう／たぶん・きっと
第30課	【普通形＋名詞】　新宿で買ったカメラ

この本に出てくる人

森先生（日本） 　　青木先生（日本）

サリ（インド） 　　アントニオ（イタリア） 　　コウ（中国）

ヤン（マレーシア） 　　パク（韓国） 　　ピエール（フランス）

シン（韓国） 　　リン（中国） 　　ブラウン（アメリカ）

世界地図
せかいちず

- アメリカ
- イギリス
- ヨーロッパ
- フランス
- イタリア
- アフリカ
- アジア
- 中国
- 韓国
- 日本
- インド
- マレーシア
- オーストラリア

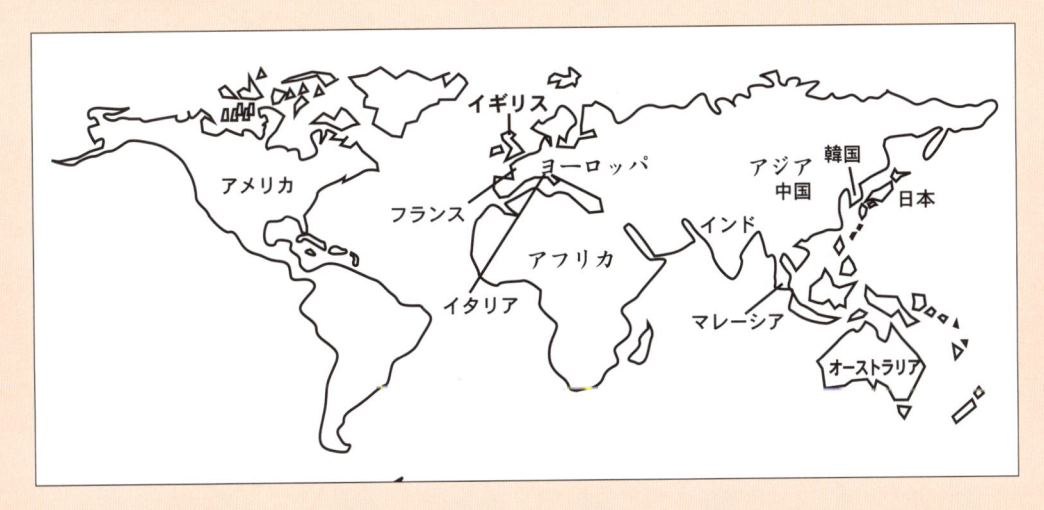

日本地図
にほんちず

- 北海道（ほっかいどう）
- 札幌（さっぽろ）
- 本州（ほんしゅう）
- 仙台（せんだい）
- 京都（きょうと）
- 神戸（こうべ）
- 東京（とうきょう）
- 横浜（よこはま）
- 福岡（ふくおか）
- 大阪（おおさか）
- 奈良（なら）
- 名古屋（なごや）
- 九州（きゅうしゅう）
- 四国（しこく）

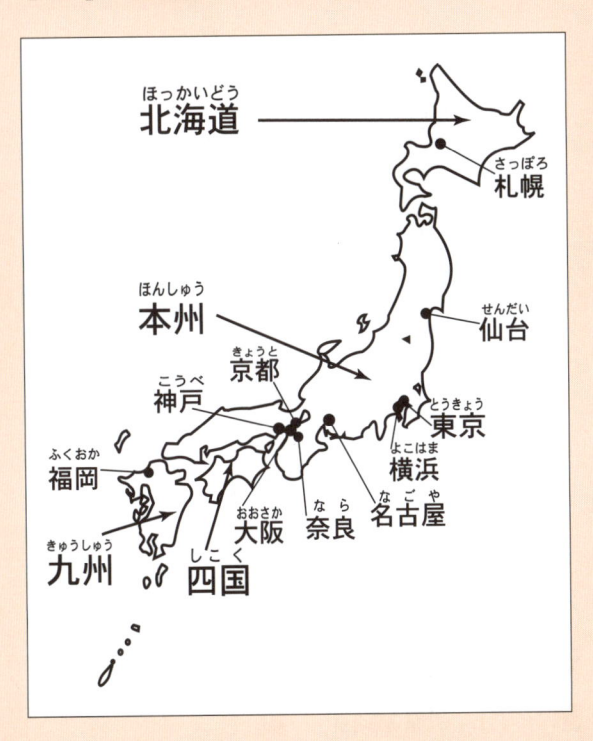

東京の電車
とうきょう でんしゃ

- 池袋（いけぶくろ）
- 新宿（しんじゅく）
- 原宿（はらじゅく）
- 渋谷（しぶや）
- 上野（うえの）
- 秋葉原（あきはばら）
- 東京（とうきょう）
- 銀座（ぎんざ）

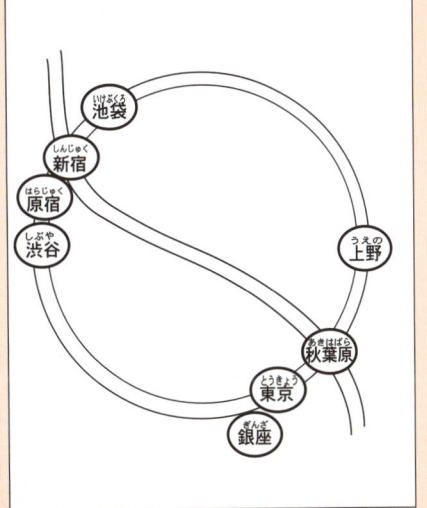

ことば

第1課

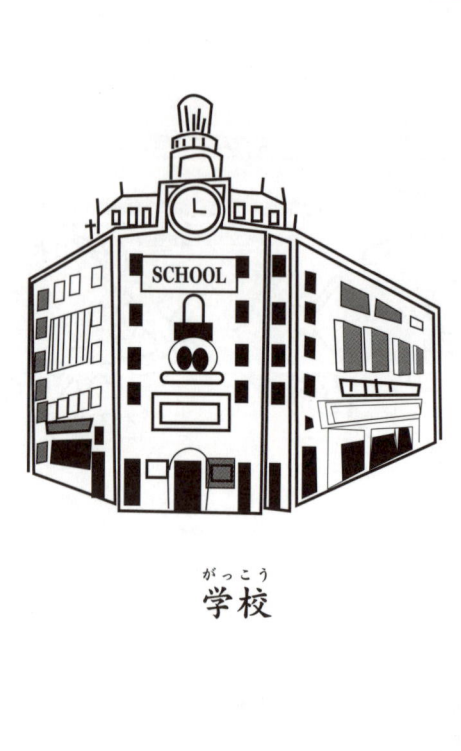

- 学校(がっこう)
- 事務(じむ)の人(ひと) 
- 女(おんな) 
- 男(おとこ)
- 学生(がくせい)  
- 先生(せんせい)
- クラス

■人(ひと)　■あの人(ひと)　■私(わたし)　■あなた　■〜歳(さい)
■〜人(じん)　■アメリカ　■中国(ちゅうごく)　■韓国(かんこく)　■インド
■日本語(にほんご)　■はじめまして　■どうぞよろしく
■はい　■いいえ　■そうです　■そうですか

会話

1. ブラウン：はじめまして。私はアメリカのブラウンです。
　リン　　：はじめまして。
　　　　　　私はリンです。中国人です。
　　　　　　私は23歳です。
　　　　　　どうぞよろしく。
　ブラウン：どうぞよろしく。

2. ブラウン：リンさんは学生ですか。
　リン　　：はい、そうです。学生です。ブラウンさんは？
　ブラウン：私も学生です。
　リン　　：そうですか。
　　　　　　ブラウンさんの先生はだれですか。
　ブラウン：私の先生は森先生です。
　　　　　　男の先生です。

3.  ブラウン：あの人はだれですか。
　リン　　：あの人はシンさんです。
　ブラウン：シンさんも中国人ですか。
　リン　　：いいえ、中国人ではありません。
　　　　　　韓国人です。
　　　　　　シンさんは学校の事務の人です。

文の形

> A は B です。

1 A は B です。

A = B

A		B	
私(わたし) 私(わたし) あの人(ひと) シンさん サリさん	は	ブラウン 学生(がくせい) シンさん 韓国人(かんこくじん) 23歳(さい)	です。

2 A は B ですか。

A = B ?

A		B	
あの人(ひと) ブラウンさん サリさん あなた あの人(ひと)	は	シンさん アメリカ人 Cクラスの学生(がくせい) 事務(じむ)の人(ひと) 日本語(にほんご)の先生(せんせい)	です か。

3 A は B ではありません。

A ≠ B

A		B	
私(わたし) シンさん あの人(ひと) サリさん Cクラスの先生	は	日本人(にほんじん) 学生(がくせい) 事務(じむ)の人(ひと) アメリカの学生(がくせい) 男(おとこ)の先生(せんせい)	ではありません。

文の形

4 A は B です。 C も B です。

A ＝ B 。 C ＝ B

リンさんは 　中国人(ちゅうごくじん)／25歳(さい)／女(おんな)の学生(がくせい)　です。 コウさん も 　中国人(ちゅうごくじん)／25歳(さい)／女(おんな)の学生(がくせい)　です。

5 A はだれですか。

A ＝ ？

あの人(ひと)／Cクラスの先生(せんせい)／アメリカ人の学生(がくせい)　は　だれ　ですか。

6 A は B です。
　　　　　　[〜の〜]

A ＝ B
　　[〜の〜]

私(わたし)／青木先生(あおきせんせい)／シンさん／あの人(ひと)　は　アメリカ／日本語(にほんご)／事務(じむ)／日本語学校(にほんごがっこう)　の　ブラウン／先生(せんせい)／人(ひと)／学生(がくせい)　です。

第1課

練 習

形の練習

1　例　私＝ブラウン　→　私はブラウンです。
　1．私＝アメリカ人　→ _____
　2．私＝学生　→ _____
　3．私＝23歳　→ _____

2　例　私＝アメリカ、ブラウン　→　私はアメリカのブラウンです。
　1．私＝日本語学校、学生　→ _____
　2．あの人＝韓国、シンさん　→ _____
　3．あの人＝事務、人　→ _____

3　例　あの人＝シンさん？　→　あの人はシンさんですか。
　1．あの人＝リンさん？　→ _____
　2．あの人＝日本語の先生？　→ _____
　3．あの人＝事務の人？　→ _____
　4．あなたの先生＝女の先生？　→ _____
　5．あなたのクラス＝Cクラス？　→ _____

4　例　私≠日本人　→　私は日本人ではありません。
　1．私≠アメリカ人　→ _____
　2．私≠キム　→ _____
　3．あの人≠先生　→ _____
　4．Cクラスの先生≠男の先生　→ _____
　5．私の先生≠男の先生　→ _____

5　例　リンさん＝中国人、私＝中国人
　　　→リンさんは中国人です。私も中国人です。
　1．トムさん＝アメリカ人、ブラウンさん＝アメリカ人
　　　→ _____
　2．パクさん＝Cクラスの学生、サリさん＝Cクラスの学生
　　　→ _____
　3．私＝25歳、リンさん＝25歳　→ _____

練習

文の練習

1. 例 あなたはアメリカ人ですか。［はい］
   →<u>はい、アメリカ人です。</u>

   1. シンさんは韓国人ですか。［はい］→_____
   2. シンさんは事務の人ですか。［はい］→_____
   3. あの人も事務の人ですか。［いいえ］→_____
   4. あなたはAクラスの学生ですか。［いいえ］→_____
   5. Aクラスの先生は青木先生ですか。［いいえ］→_____
   6. Aクラスの先生は森先生ですか。［はい］→_____

2.

   リンさん（女）
   中国
   25歳
   学生
   Aクラス

   サリさん（男）
   インド
   25歳
   学生
   Cクラス

   シンさん（女）
   韓国
   24歳
   事務の人

   青木先生（女）
   日本
   32歳
   日本語の先生
   Cクラス

   （1）
   1. リンさんはAクラスの学生ですか。 →_____
   2. サリさんはアメリカ人ですか。 →_____
   3. シンさんはCクラスの学生ですか。 →_____
   4. 青木先生は男の先生ですか。 →_____

   （2）『だれですか。』
   1. 先生はだれですか。 →_____
   2. インドの学生はだれですか。 →_____
   3. Aクラスの学生はだれですか。 →_____
   4. 女の学生はだれですか。 →_____
   5. Cクラスの学生はだれですか。 →_____

第1課

15

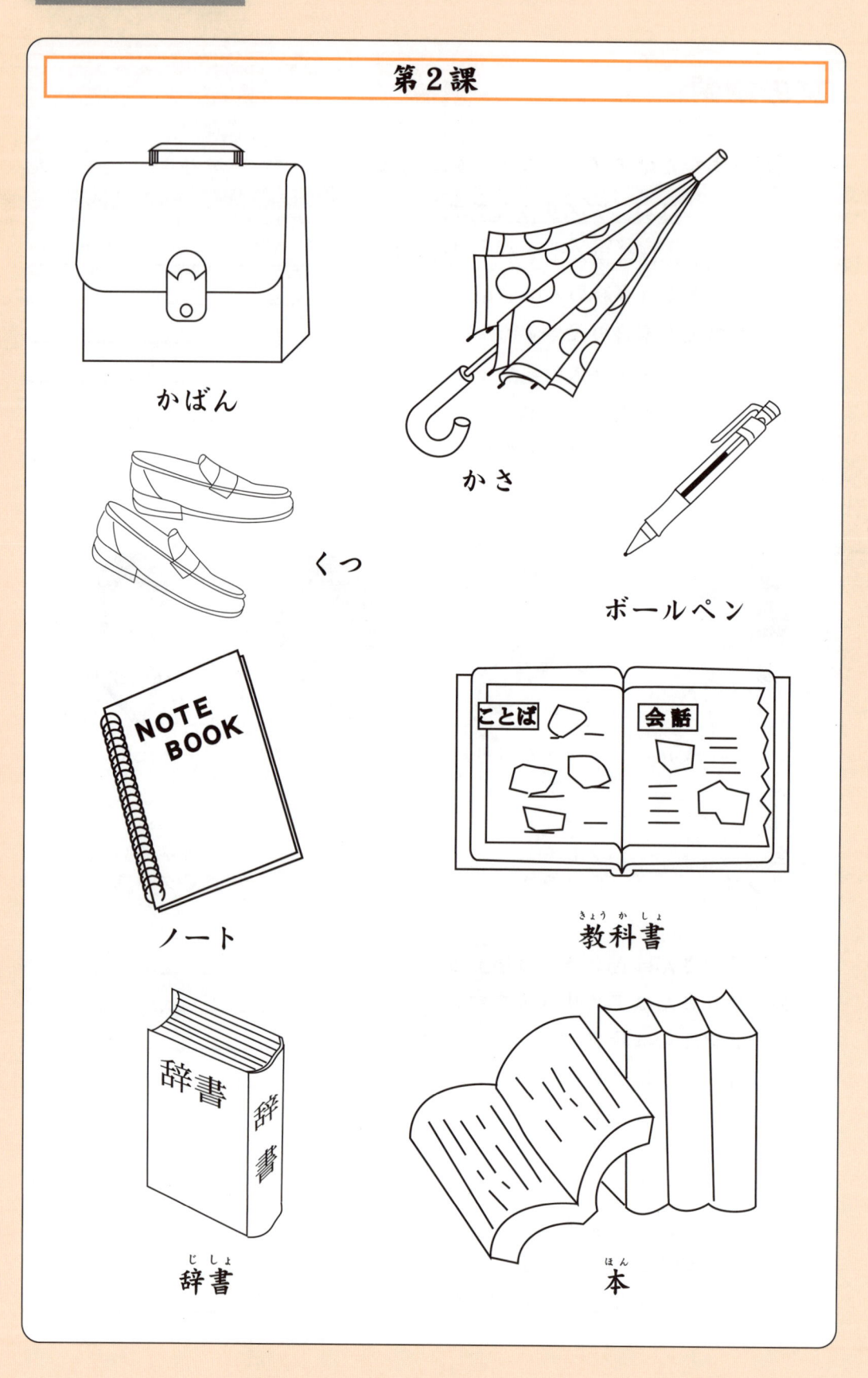

ことば

第2課

かばん

かさ

くつ

ボールペン

ノート

教科書(きょうかしょ)

辞書(じしょ)

本(ほん)

会話

第2課

1. シン：これはサリさんの
　　　　　かばんですか。
　　サリ：はい、そうです。
　　　　　私(わたし)のかばんです。

2. サリ：それはシンさんのかさですか。
　　シン：いいえ、これは私(わたし)のかさでは
　　　　　ありません。
　　サリ：それはだれのかさですか。
　　シン：これはヤンさんのです。
　　サリ：シンさんのかさはどれですか。
　　シン：私(わたし)のはあれです。

3. サリ：このかさはだれのですか。
　　シン：そのかさは
　　　　　ブラウンさんのです。
　　サリ：ブラウンさんは
　　　　　どの人(ひと)ですか。
　　シン：ブラウンさんは
　　　　　あの人(ひと)です。

文の形

| A | は | B | です。 |

1 | A | は | B | です。

| これ |
| それ |
| あれ |

これ		教科書	です。
それ	は	あなたの本	ですか。
あれ		先生の本	です。

これ

それ

2 | A | は | B | です。
　　| A | は | B | ですか。

| これ |
| それ |
| あれ |
| どれ |

あれ

| 私のかばん | | これ | です。 |
| あなたのかばん | は | どれ | ですか。 |

文の形

3　この／その／あの／どの　〜

この本		教科書	です。
そのかばん	は	サリさんのかばん	です。
あの人		マレーシアのヤンさん	です。
ブラウンさん		どの人	ですか。

第2課

4　私の本＝私の

あなたの本＝あなたの
サリさんのかばん＝サリさんの
だれのボールペン＝だれの

| これは　私の本　です。 | ＝ | この本は　私の本　です。 |

＝　　　　　　　　　　　＝

| これは　私の　です。 | ＝ | この本は　私の　です。 |

練習

形の練習

1　例　これ・本　→　これは本です。
　　1．これ・辞書　→　_____
　　2．これ・ヤンさんの教科書　→　_____
　　3．それ・ボールペン　→　_____
　　4．それ・先生のかばん　→　_____
　　5．あれ・ノート　→　_____
　　6．あれ・だれのかさ　→　_____

2　例　私・かばん・これ　→　私のかばんはこれです。
　　1．先生・辞書・これ　→　_____
　　2．シンさん・ボールペン・それ　→　_____
　　3．ブラウンさん・かさ・あれ　→　_____
　　4．あなた・かばん・どれ　→　_____

3　例　これ・かさ・私のかさ　→　このかさは私のかさです。
　　1．これ・本・日本語の教科書　→　_____
　　2．それ・かばん・サリさんのかばん　→　_____
　　3．あれ・ノート・ヤンさんのノート　→　_____
　　4．それ・かさ・だれのかさ　→　_____
　　5．これ・辞書・ブラウンさんの　→　_____
　　6．あれ・ボールペン・だれの　→　_____

文の練習

1．例　　　　　　　1．　　　　　　　2．　　　　　　　3．

　　私のかばん　　ヤンさんのかばん　　あなたのかさ　　私の教科書

A．例　これは私のかばんです。
　　1．_____

練習

　　　2. ＿＿＿＿＿＿＿＿＿＿＿＿＿＿＿＿＿＿＿
　　　3. ＿＿＿＿＿＿＿＿＿＿＿＿＿＿＿＿＿＿＿

　B．例　<u>私のかばんはこれです。</u>

　　　1. ＿＿＿＿＿＿＿＿＿＿＿＿＿＿＿＿＿＿＿
　　　2. ＿＿＿＿＿＿＿＿＿＿＿＿＿＿＿＿＿＿＿
　　　3. ＿＿＿＿＿＿＿＿＿＿＿＿＿＿＿＿＿＿＿
　　　4. ＿＿＿＿＿＿＿＿＿＿＿＿＿＿＿＿＿＿＿

4.（これはパクさんのかさです。）

2. 例　これは私のかばんです。→<u>このかばんは私のかばんです。</u>
　　　　　　　　　　　　　　 →<u>このかばんは私のです。</u>

　　1. それはブラウンさんのかさです。→＿＿＿＿＿＿＿＿＿＿＿＿＿
　　　　　　　　　　　　　　　　　　→＿＿＿＿＿＿＿＿＿＿＿＿＿

　　2. あれは先生の本です。　　　　　→＿＿＿＿＿＿＿＿＿＿＿＿＿
　　　　　　　　　　　　　　　　　　→＿＿＿＿＿＿＿＿＿＿＿＿＿

　　3. それはサリさんの辞書です。　　→＿＿＿＿＿＿＿＿＿＿＿＿＿
　　　　　　　　　　　　　　　　　　→＿＿＿＿＿＿＿＿＿＿＿＿＿

　　4. これはあなたのボールペンですか。→＿＿＿＿＿＿＿＿＿＿＿＿
　　　　　　　　　　　　　　　　　　 →＿＿＿＿＿＿＿＿＿＿＿＿

CD 4

3.
A．例　これはだれの辞書ですか。→<u>この辞書はだれのですか。</u>

　　1. これはだれのノートですか。　　→＿＿＿＿＿＿＿＿＿＿＿＿＿
　　2. それはだれのボールペンですか。→＿＿＿＿＿＿＿＿＿＿＿＿＿
　　3. あれはだれの教科書ですか。　　→＿＿＿＿＿＿＿＿＿＿＿＿＿

B．例　<u>これはだれの辞書ですか。</u>

　　　辞書　　　1.　　　　　　2.　　　　　　3.
　　　　　　　　かさ　　　　ボールペン　　　かばん

　　1. →＿＿＿＿＿＿＿＿＿＿＿＿＿＿＿＿＿＿＿＿＿＿
　　2. →＿＿＿＿＿＿＿＿＿＿＿＿＿＿＿＿＿＿＿＿＿＿
　　3. →＿＿＿＿＿＿＿＿＿＿＿＿＿＿＿＿＿＿＿＿＿＿

第2課

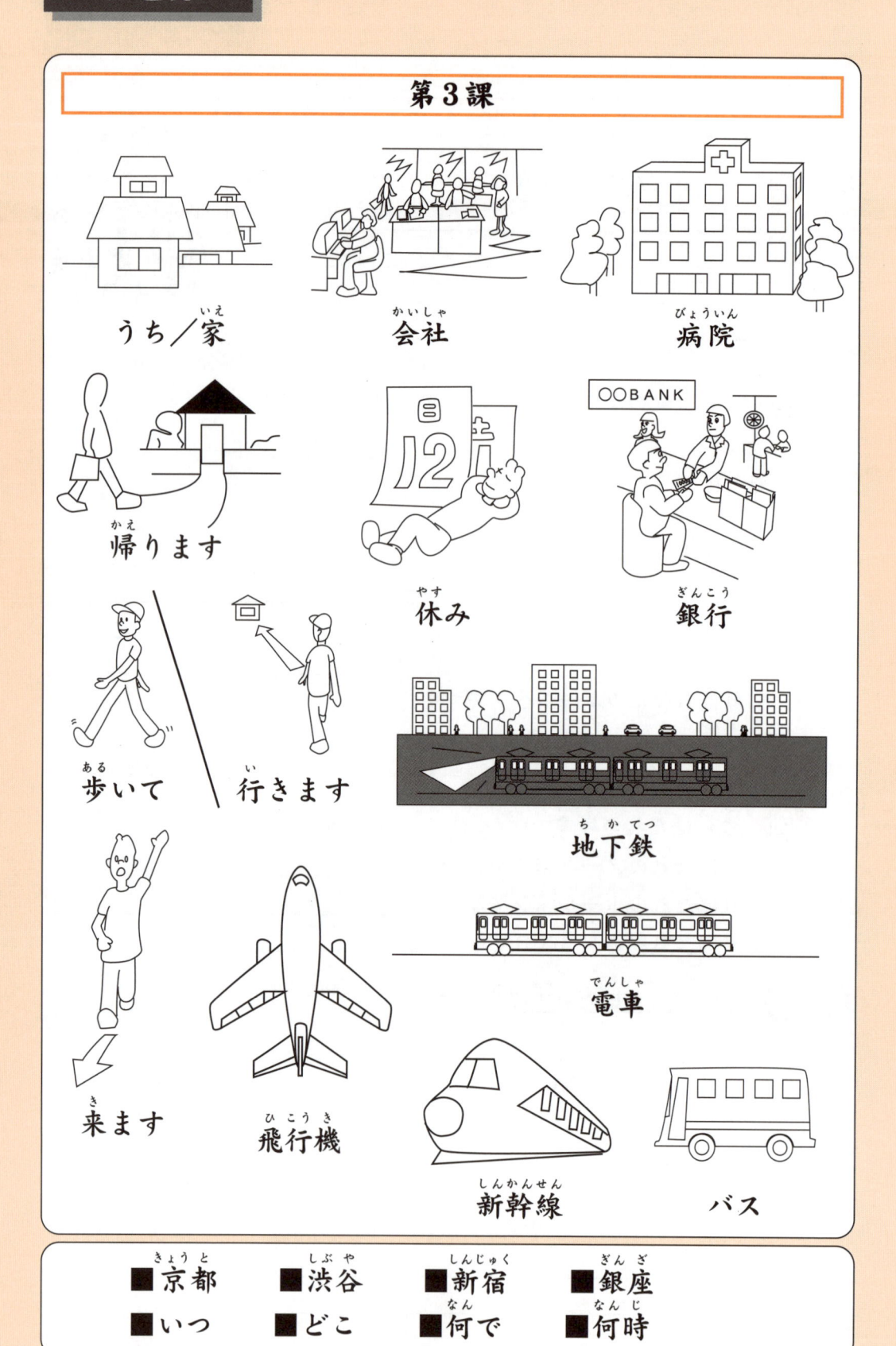

ことば

第3課

うち／家　　会社　　病院

帰ります　　休み　　銀行

歩いて　　行きます　　地下鉄

電車

来ます　　飛行機　　新幹線　　バス

- ■ 京都
- ■ 渋谷
- ■ 新宿
- ■ 銀座
- ■ いつ
- ■ どこ
- ■ 何で
- ■ 何時

会話

第3課

1. シン：サリさんは今日会社へ行きますか。
   サリ：はい、行きます。
   シン：何時にうちへ帰りますか。
   サリ：6時に帰ります。

2. ブラウン：シンさんは明日会社へ行きますか。
   シン：いいえ、行きません。私の会社は明日休みです。

3. シン：ブラウンさんは昨日会社へ行きましたか。
   ブラウン：いいえ、行きませんでした。
   シン：どこへ行きましたか。
   ブラウン：病院へ行きました。

4. コウ：あなたはいつ日本へ来ましたか。
   ブラウン：4月に来ました。

5. コウ：ヤンさんは毎日何時に学校へ来ますか。
   ヤン：9時に来ます。
   コウ：何で来ますか。
   ヤン：電車で来ます。

文の形

1 ● は ■ へ 行きます。
　　　　　　　 来ます。
　　　　　　　 帰ります。

| 私
リーさん
ヤンさん
このバス
あなた | は | 学校
会社
京都
渋谷
どこ | ⓗ | 行きます。

行きますⓚ。 |

| サリさん
あなた | は | 1時
何時 | ⓘに | うち | ⓗ | 帰ります。
帰りますⓚ。 |

| 私 | は | 明日 | 学校 | ⓗ | 行きます。
来ます。 |

2 ● は ■ へ 行きました。
　　　　　　　 来ました。
　　　　　　　 帰りました。

| 私
シンさん
青木先生 | は | 銀座
京都
銀行 | ⓗ | 行きました。 |

| ブラウンさん
チンさん
あなた | は | 4月に
去年
いつ | 日本
国
日本 | ⓗ | 来ました。
帰りました。
来ましたⓚ。 |

文の形

3

● は ▭ へ 行きません。
　　　　　　　来ません。
　　　　　　　帰りません。

| 学生
サリさん
パクさん | は | 日曜日に
今日
昨日 | 学校
学校
会社 | へ | 行きません。
来ません。
行きませんでした。 |

第3課

4

● は ▭ で ▭ へ 行きます。
　　　　　　　　　来ます。
　　　　　　　　　帰ります。

| 私
ヤンさん
パクさん
あなた | は | 電車
地下鉄
歩い
何 | で
で
て
で | 学校
会社
学校
学校 | へ | 来ます。
行きます。
行きます。
来ますか。 |

ことば

- ～月（がつ）
- ～日（にち）
- ～曜日（ようび）
- ～時（じ）
- ～分（ふん(ぷん)）
- ～時半（じはん）
- 昨日（きのう）
- 今日（きょう）
- 明日（あした）
- 今朝（けさ）
- 毎日（まいにち）
- 先週（せんしゅう）
- 今週（こんしゅう）
- 来週（らいしゅう）
- 先月（せんげつ）
- 今月（こんげつ）
- 来月（らいげつ）
- 去年（きょねん）
- 今年（ことし）
- 来年（らいねん）

25

練習

形の練習

1　例　3時

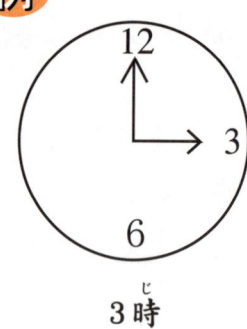

1.　_____ 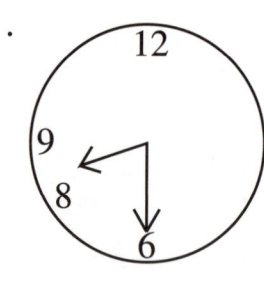
2.　_____ 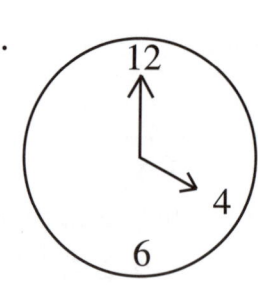
3.　_____ 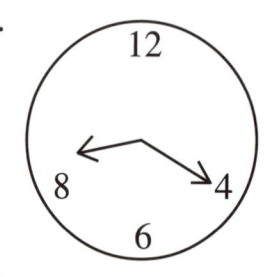
4.　_____

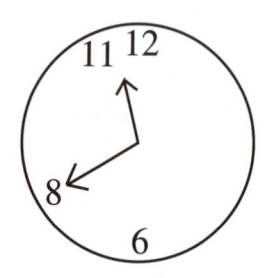

2　例　2:30　→にじさんじゅっぷんです→　2時30分です。
　　　　　　　　　　　　　　　　　　　（2時半です）

1.　9:10　→_____→_____
2.　7:45　→_____→_____
3.　4:20　→_____→_____
4.　9:30　→_____→_____
5.　12:15　→_____→_____

3　例　今日、行きます。→昨日、行きました。

1.　今日6時に帰ります。→昨日6時に_____。
2.　毎日9時に_____。→昨日9時に来ました。
3.　明日行きます。→昨日_____。
4.　5月に行きます。→去年_____。

練習

文の練習

1 例　ヤンさんは明日病院へ行きます。　[昨日]
　　　→ヤンさんは昨日病院へ行きました。
　1．ブラウンさんは今日銀行へ行きます。　[昨日]
　　→＿＿＿＿＿＿＿＿＿＿＿＿＿＿＿＿＿＿
　2．シンさんは先週京都へ行きました。　[来週]
　　→＿＿＿＿＿＿＿＿＿＿＿＿＿＿＿＿＿＿
　3．青木先生は今朝銀行へ行きました。　[明日の朝]
　　→＿＿＿＿＿＿＿＿＿＿＿＿＿＿＿＿＿＿
　4．サリさんは去年インドへ帰りました。　[来年]
　　→＿＿＿＿＿＿＿＿＿＿＿＿＿＿＿＿＿＿

CD6

2 例　ヤンさんは今日病院へ行きますか。　[はい]
　　　→はい、行きます。
　　　ヤンさんは今日病院へ行きますか。　[いいえ]
　　　→いいえ、行きません。
　1．ブラウンさんは今日銀行へ行きますか。　[いいえ]
　　→＿＿＿＿＿＿＿＿＿＿＿＿＿＿＿＿＿＿
　2．サリさんは今日学校へ来ますか。　[はい]
　　→＿＿＿＿＿＿＿＿＿＿＿＿＿＿＿＿＿＿
　3．シンさんは先週京都へ行きましたか。　[はい]
　　→＿＿＿＿＿＿＿＿＿＿＿＿＿＿＿＿＿＿
　4．この電車は新宿へ行きますか。　[いいえ]
　　→＿＿＿＿＿＿＿＿＿＿＿＿＿＿＿＿＿＿
　5．パクさんは昨日学校へ来ましたか。　[いいえ]
　　→＿＿＿＿＿＿＿＿＿＿＿＿＿＿＿＿＿＿

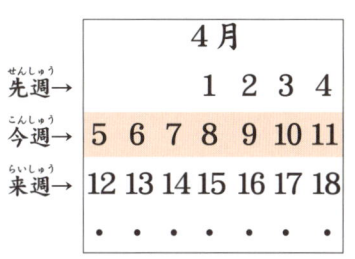

3 例　あなたは何で学校へ来ますか。　[電車]→電車で来ます。
　1．あなたは何で会社へ行きますか。　[地下鉄]→＿＿＿＿＿＿＿＿
　2．シンさんは何で京都へ行きましたか。　[新幹線]→＿＿＿＿＿＿＿＿
　3．あなたは何で日本へ来ましたか。　[飛行機]→＿＿＿＿＿＿＿＿
　4．パクさんは何で学校へ来ますか。　[歩いて]→＿＿＿＿＿＿＿＿

ことば

第4課

- たばこ
- コーヒー
- パン
- 卵(たまご)
- ビール / ワイン　(お)酒(さけ)
- お茶(ちゃ)
- 肉(にく)
- レストラン
- 手紙(てがみ)
- テレビ
- 昼ご飯(ひるごはん)
- ご飯(はん)
- 買(か)い物(もの)
- 授業(じゅぎょう)
- 仕事(しごと)
- 会議(かいぎ)／ミーティング
- デパート
- スーパー

- ■ゆうべ＝昨日(きのう)の夜(よる)　■ひらがな　■カタカナ
- ■アルバイト　■午後(ごご)　■そして

会話

第4課

1. シン：サリさんはたばこを吸いますか。
   サリ：はい、吸います。
   　　　シンさんはたばこを吸いますか。
   シン：いいえ、私は吸いません。

2. シン：サリさんは今朝何を食べましたか。
   サリ：私はパンと卵を食べました。
   　　　そして、コーヒーを飲みました。

3. シン：昨日、うちでテレビを見ましたか。
   サリ：いいえ、見ませんでした。
   シン：何をしましたか。
   サリ：仕事をしました。

4. ピエール：授業は何時に始まりますか。
   サリ　　：9時10分に始まります。
   ピエール：何時に終わりますか。
   サリ　　：12時半に終わります。
   ピエール：アルバイトは何時から何時までですか。
   サリ　　：2時から6時までです。

文の形

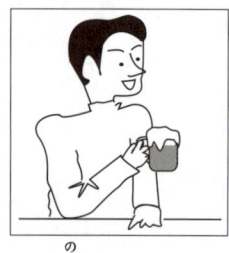

第4課

1 ● は ▭ を 食べます。
　　　　　　　飲みます。
　　　　　　　買います。
　　　　　　　します。

| 私 | は | コーヒー
たばこ
テレビ
ご飯 | を | 飲みます。
吸います。
見ます。
食べます。 |
| あなた | | 何 | | ………か。|

2 ● は ▭ で ▭ を 食べます。
　　　　　　　　　　　　飲みます。
　　　　　　　　　　　　買います。
　　　　　　　　　　　　します。

| 私 | は | 学校
うち
会社
スーパー
レストラン
うち | で | 日本語
本
アルバイト
買い物
ご飯
昼ご飯
手紙 | を | 勉強します。
読みます。
します。
します。
します。
食べます。
書きます。 |
| あなた | | どこ | | ……… | | ………か。 |

飲みます 　　食べます 　　勉強します 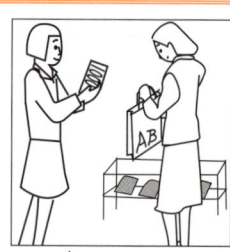　　買います

文の形

3　□時に

| ミーティング
会議
授業 | は | 10時
12時
何時 | に | 始まります。
終わります。
………か。 |

第4課

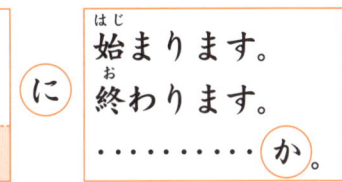

4　□から□まで

授業は9時10分に始まります。12時半に終わります。
＝授業は9時10分から12時半までです。

授業は何時から何時までですか。

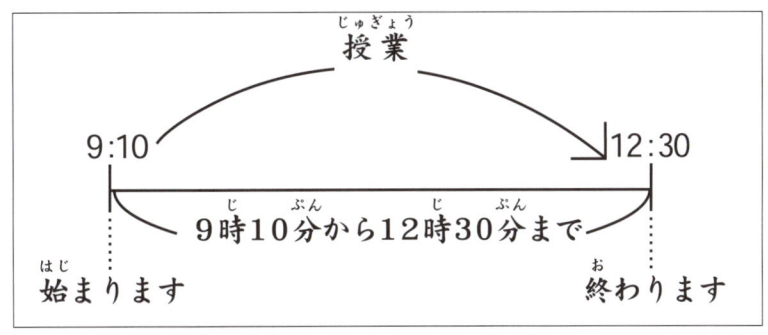

```
              授業
    9:10 ─────────────→ 12:30
         9時10分から12時30分まで
    始まります           終わります
```

5　AとB

| パン
本
パクさん | と | 卵
ノート
シンさん |

(たばこを)吸います 　　読みます 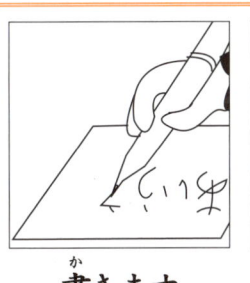　　書きます 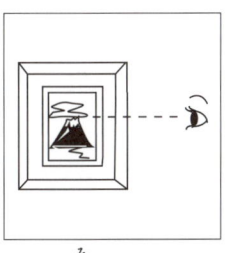　　見ます

練習

形の練習

1. 例 行きます→行きません→行きました→行きませんでした
   1. 飲みます →＿＿＿＿＿＿＿＿＿＿＿＿＿＿＿＿＿＿＿＿
   2. 読みます →＿＿＿＿＿＿＿＿＿＿＿＿＿＿＿＿＿＿＿＿
   3. 書きます →＿＿＿＿＿＿＿＿＿＿＿＿＿＿＿＿＿＿＿＿
   4. 買います →＿＿＿＿＿＿＿＿＿＿＿＿＿＿＿＿＿＿＿＿
   5. 見ます →＿＿＿＿＿＿＿＿＿＿＿＿＿＿＿＿＿＿＿＿

2. 例 コーヒーを飲みますか。［はい］→はい、飲みます。
   1. たばこを吸いますか。［いいえ］ →＿＿＿＿＿＿＿＿＿＿＿＿＿
   2. 肉を食べますか。［はい］ →＿＿＿＿＿＿＿＿＿＿＿＿＿
   3. 酒を飲みますか。［はい］ →＿＿＿＿＿＿＿＿＿＿＿＿＿
   4. 今朝、ご飯を食べましたか。［いいえ］ →＿＿＿＿＿＿＿＿＿＿
   5. 昨日の夜テレビを見ましたか。［はい］ →＿＿＿＿＿＿＿＿＿＿
   6. 昨日、うちで勉強しましたか。［いいえ］ →＿＿＿＿＿＿＿＿＿

3. 例 会議　3：00～5：00
   →A：会議は何時から何時までですか。
   　B：3時から5時までです。
   1. 授業　　　　　1：10～5：00
   2. 昼休み　　　12：00～1：10
   3. 休み時間　　10：40～11：00

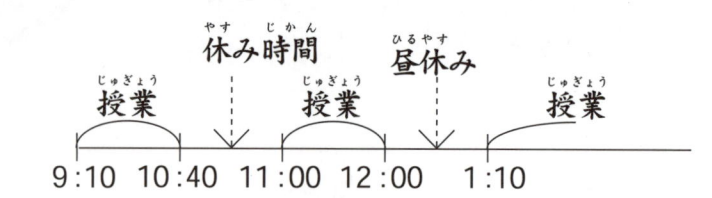

   休み時間　　昼休み
   授業　　　授業　　　授業
   9:10　10:40　11:00　12:00　1:10

4. 例 パン、卵（食べます）→パンと卵を食べます。
   1. ビール、ワイン（飲みます）→＿＿＿＿＿＿＿＿＿＿＿＿＿＿＿
   2. ボールペン、ノート（買います）→＿＿＿＿＿＿＿＿＿＿＿＿＿
   3. ひらがな、カタカナ（書きます）→＿＿＿＿＿＿＿＿＿＿＿＿＿

第4課

練習

文の練習

1 例　コーヒーを飲みます。

1.　2. 　3. 　4. 　5.

1. _____
2. _____
3. _____
4. _____
5. _____

2 例　日曜日→

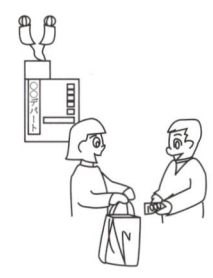

A：「日曜日は何をしますか。」
B：「買い物をします。」
A：「どこでしますか。」
B：「デパートでします。」

1. 昨日の午後→

2. ゆうべ→

3. 明日→

ことば

第5課

- へや 部屋
- じむしつ 事務室
- きょうしつ 教室
- いす
- つくえ 机
- さいふ
- でんわ 電話
- ハンカチ
- ごみばこ
- ねこ
- とり 鳥
- れいぞうこ 冷蔵庫
- やさい 野菜
- ぎゅうにゅう 牛乳／ミルク
- りんご
- じどうしゃ／くるま 自動車／車
- はなや 花屋
- ホテル
- ケーキ
- じてんしゃ 自転車
- きっさてん 喫茶店
- ゆうびんきょく 郵便局

- ■き 木
- ■こうえん 公園
- ■バス停(てい)
- ■えき 駅
- ■〜屋(や)(ケーキ屋)
- ■トイレ
- ■上(うえ)
- ■下(した)
- ■右(みぎ)
- ■左(ひだり)
- ■中(なか)
- ■前(まえ)
- ■後(うし)ろ
- ■横(よこ)
- ■となり
- ■そば
- ■近(ちか)く
- ■すみません
- ■何(なに)もありません

会話

第5課

1. アントニオ：教室にだれがいますか。
   パク　　　：青木先生とサリさんがいます。

2. パク　　　：ブラウンさんはどこにいますか。
   アントニオ：事務室にいます。
   パク　　　：リンさんも事務室にいますか。
   アントニオ：いいえ、リンさんは事務室にいません。

3. アントニオ：冷蔵庫の中に何がありますか。
   パク　　　：牛乳や卵や野菜などがあります。
   アントニオ：ビールもありますか。
   パク　　　：いいえ、ビールはありません。

4. ヤン：電話はどこにありますか。
   シン：私の机の上にあります。
   ヤン：テレビの横に何がありますか。
   シン：何もありません。

5. ヤン：すみません。銀行はどこですか。
   シン：駅の前です。
   ヤン：銀行の近くに何がありますか。
   シン：スーパーやデパートやレストランなどがあります。

文の形

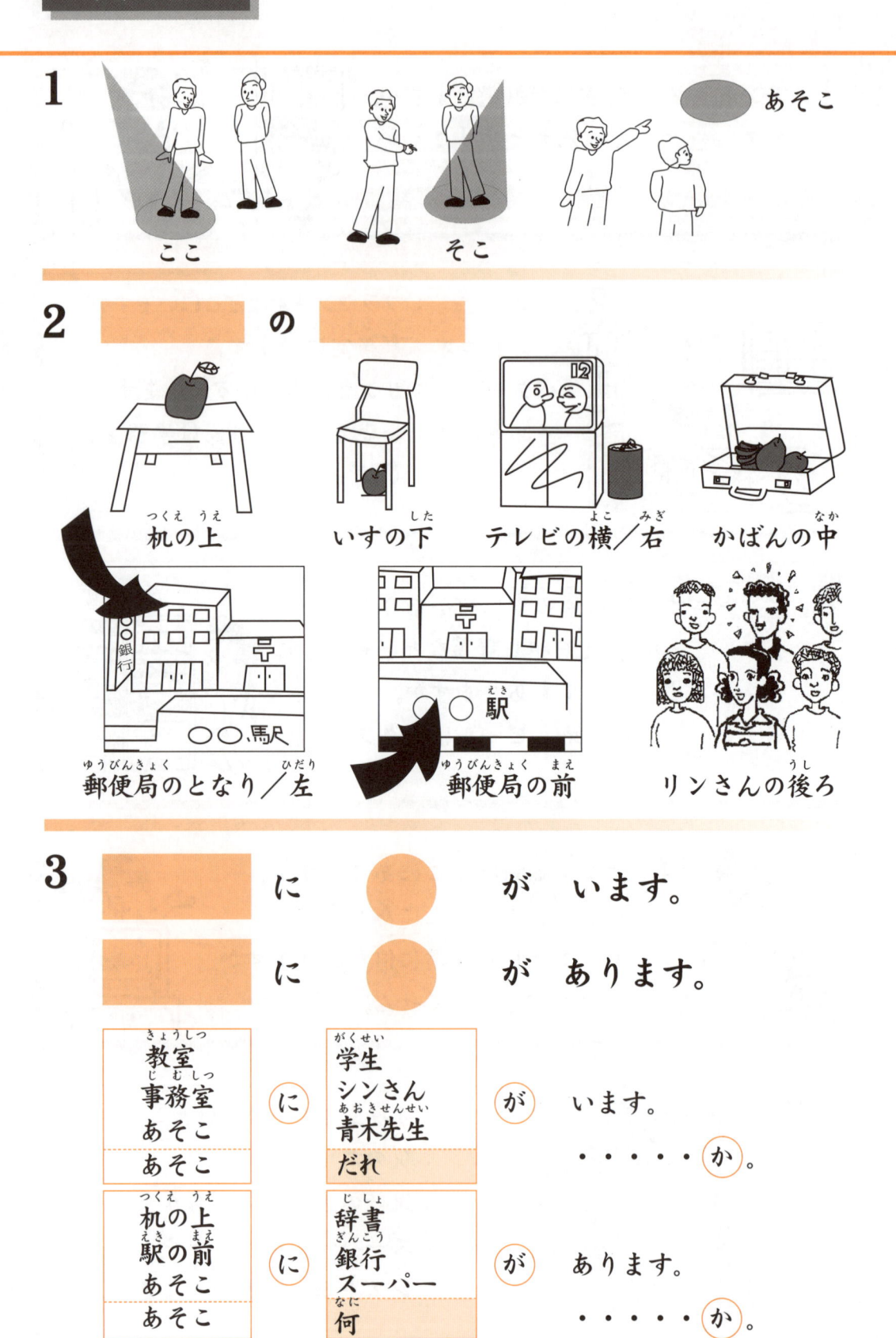

1

ここ　　　そこ　　　あそこ

2 ▭ の ▭

机の上　　いすの下　　テレビの横／右　　かばんの中

郵便局のとなり／左　　郵便局の前　　リンさんの後ろ

3 ▭ に ● が います。

▭ に ● が あります。

教室 事務室 あそこ	に	学生 シンさん 青木先生	が	います。
あそこ		だれ		・・・・・か。
机の上 駅の前 あそこ	に	辞書 銀行 スーパー	が	あります。
あそこ		何		・・・・・か。

文の形

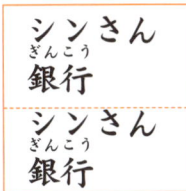

4

● は ▭ に います。
● は ▭ に あります。

| シンさん / 銀行(ぎんこう) | は | 事務室(じむしつ) / 駅(えき)の前(まえ) | に | います。/ あります。 |
| シンさん / 銀行(ぎんこう) | は | どこ | に | いますか。/ ありますか。 |

第5課

5

● は ▭ に います／あります。
＝
です

| シンさん / 銀行(ぎんこう) | は | 事務室(じむしつ) / 駅(えき)の前(まえ) | です。 |
| シンさん / 銀行(ぎんこう) | は | どこ | ですか。 |

6

▭ に 〜や〜や〜 など が あります。

| 部屋(へや) / 机(つくえ)の上(うえ) / かばんの中(なか) | に | 机(つくえ) / 本(ほん) / 辞書(じしょ) | や | いす / ノート / ハンカチ | や | テレビ / ボールペン / さいふ | など | が あります。 |

練習

形の練習

1　例　銀行・左・レストラン→銀行の左にレストランがあります。
　　1．銀行・右・スーパー→_____
　　2．自動車・前・自転車→_____
　　3．パン屋・後ろ・公園→_____

2　例　バス停・近く・人→バス停の近くに人がいます。
　　1．車・中・人→_____
　　2．木・上・鳥→_____
　　3．木・下・ねこ→_____

文の練習

1　例　山川さん、事務室
　　　　A：山川さんはどこにいますか。
　　　　B：事務室にいます。
　　1．郵便局、駅の前→A：_____ B：_____
　　2．青木先生、教室→A：_____ B：_____
　　3．トイレ、あそこ→A：_____ B：_____
　　4．シンさん、事務室→A：_____ B：_____
　　5．サリさん、リンさんの後ろ→A：_____ B：_____

2

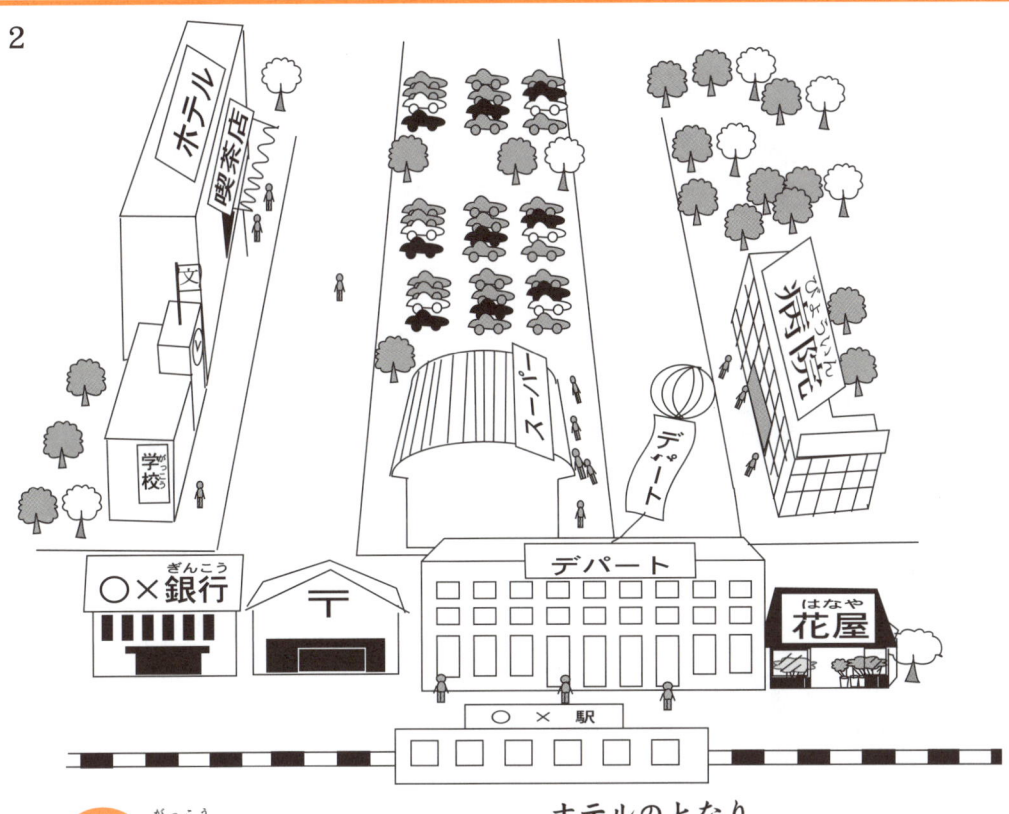

例　学校はどこにありますか。　　ホテルのとなり／駅のそば　にあります。

1．銀行　　2．郵便局　　3．デパート　　4．スーパー

3　例　郵便局、駅の前

A：すみません。郵便局はどこにありますか。

B：あそこです。

A：どこですか。

B：駅の前です。

1．花屋、デパートのとなり　　2．銀行、駅の前　　3．喫茶店、ホテルの中

CD 10

4　例　女の人、パクさん

A：あそこに女の人がいますね。あの人はだれですか。

B：あれはパクさんです。

1．学生、サリさん　　2．女の学生、コウさん　　3．男の人、ブラウンさん

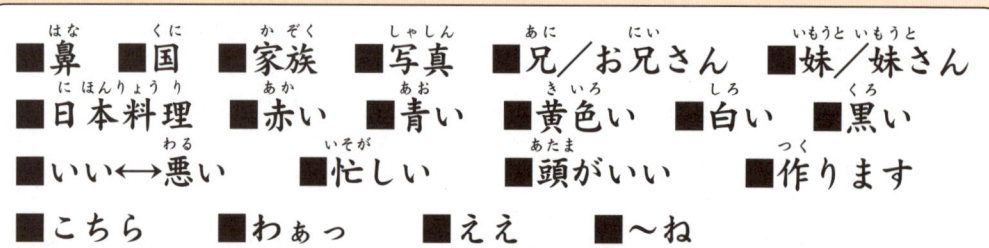

ことば

第6課

- 厚(あつ)い / 薄(うす)い
- 熱(あつ)い / 冷(つめ)たい
- カメラ
- ¥150,000 高(たか)い / ¥5,000 安(やす)い
- 重(おも)い / 軽(かる)い
- 小(ちい)さい / 大(おお)きい
- 山(やま)
- 広(ひろ)い
- せまい
- 高(たか)い / 低(ひく)い
- 暑(あつ)い / 寒(さむ)い
- 長(なが)い / 短(みじか)い

- ■鼻(はな)
- ■国(くに)
- ■家族(かぞく)
- ■写真(しゃしん)
- ■兄(あに)/お兄(にい)さん
- ■妹(いもうと)/妹(いもうと)さん
- ■日本料理(にほんりょうり)
- ■赤(あか)い
- ■青(あお)い
- ■黄色(きいろ)い
- ■白(しろ)い
- ■黒(くろ)い
- ■いい↔悪(わる)い
- ■忙(いそが)しい
- ■頭(あたま)がいい
- ■作(つく)ります
- ■こちら
- ■わぁっ
- ■ええ
- ■~ね

ことば

第6課

- 新(あたら)しい
- 古(ふる)い
- 楽(たの)しい
- 暖(あたた)かい
- 涼(すず)しい
- おもしろい
- おいしい
- まずい
- 遠(とお)い
- 近(ちか)い
- 速(はや)い
- 遅(おそ)い
- 犬(いぬ)
- 足(あし)が長(なが)い
- 足(あし)が短(みじか)い
- 目(め)が大(おお)きい
- 髪(かみ)が長(なが)い
- 髪(かみ)が短(みじか)い
- 背(せ)が高(たか)い
- 背(せ)が低(ひく)い

会話

1. シン：ヤンさんのうちは駅から遠いですか。
ヤン：いいえ、近いです。
シン：ヤンさんの部屋は広いですか。
ヤン：いいえ、広くないです。

2. ヤン：シンさん、このケーキを食べますか。
シン：わあっ、おいしいですね。このケーキ、どこで買いましたか。
ヤン：私が作りました。
シン：そうですか。

3. ヤン：これは、私の家族の写真です。
シン：こちらはお兄さんですか。
ヤン：ええ、そうです。
シン：お兄さんは背が高いですね。
ヤン：ええ。これは妹です。
シン：妹さんは髪が長いですね。

父　母
兄　姉　私　妹　弟

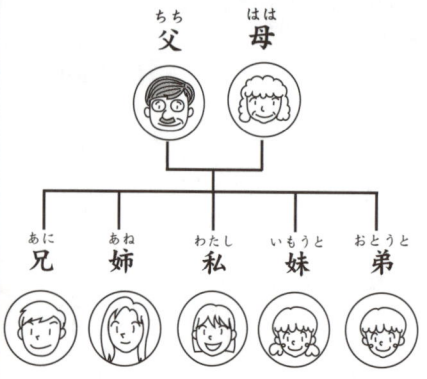

文の形

1 A は B です。

A		B	
東京 私のかばん 私の部屋 日本料理 日本語の勉強	は	広い 重い せまい おいしい おもしろい どう	です。 ですか。

2 A は B くない です。

さむい＋くない→さむくない

このケーキ 私のかばん	は	おいしくないです たかくないです
そのカメラ	は	よくないです

3

サリさん これ あれ	は	いい　人 おいしい　パン たかい　カメラ どんな　～	です。 ですか。

4 A は B （～が～） です。

| ヤンさん
兄 | は | 頭
背
髪 | が | いい
高い
長い | です。 |

第6課

43

練習

形の練習

1　**例**　リンさんの家／大きい　→　リンさんの家は大きいです。
　1．アメリカ／広い　→ _____
　2．リンさんのかばん／軽い　→ _____
　3．事務室の人／忙しい　→ _____
　4．日本料理／おいしい　→ _____
　5．この雑誌／薄い　→ _____
　6．日本の8月／暑い　→ _____
　7．新幹線／速い　→ _____
　8．この本／難しい　→ _____
　9．このカメラ／高い　→ _____
　10．日本語の勉強／おもしろい　→ _____

2　**例**　リンさんの辞書／新しい　→　リンさんの辞書は新しくないです。
　1．ヤンさんの部屋／広い　→ _____
　2．先生のかばん／重い　→ _____
　3．日本のカメラ／安い　→ _____
　4．この本／おもしろい　→ _____
　5．このカメラ／いい　→ _____

3　**例**　サリさん／いい／人　→　サリさんはいい人です。
　1．富士山／高い／山　→ _____
　2．中国／大きい／国　→ _____
　3．ヤンさん／おもしろい／人　→ _____
　4．それ／おいしい／ケーキ　→ _____
　5．東京／どんな／町　→ _____

4　**例**　兄／背／高い　→　兄は背が高いです。
　1．妹／髪／長い　→ _____
　2．兄／頭／いい　→ _____
　3．妹／目／大きい　→ _____
　4．兄／足／長い　→ _____
　5．ぞう／鼻／長い　→ _____

5　**例**　大きい　⟷　小さい
　1．長い　⟷ _____　　4．安い　⟷ _____
　2．いい　⟷ _____　　5．速い　⟷ _____
　3．暑い　⟷ _____　　6．低い　⟷ _____

練習

文の練習

1

例 リンさんの家は大きいです。
ヤンさんの家は小さいです。

1. ＿＿＿＿＿＿＿＿＿＿＿＿＿＿＿＿
2. ＿＿＿＿＿＿＿＿＿＿＿＿＿＿＿＿
3. ＿＿＿＿＿＿＿＿＿＿＿＿＿＿＿＿
4. ＿＿＿＿＿＿＿＿＿＿＿＿＿＿＿＿

2

例 日本は広いですか。（いいえ）　→　いいえ、広くないです。

1. 日本料理はおいしいですか。（はい）→＿＿＿＿＿＿＿＿＿＿
2. そのカメラはいいですか。（いいえ）→＿＿＿＿＿＿＿＿＿＿
3. そのかばんは重いですか。（はい）→＿＿＿＿＿＿＿＿＿＿
4. シンさんは背が高いですか。（いいえ）→＿＿＿＿＿＿＿＿＿＿
5. リンさんは忙しいですか。（いいえ）→＿＿＿＿＿＿＿＿＿＿

3

例 リンさんのくつはどれですか。
→あの赤いのです。

1. シンさんのかばんはどれですか。
→＿＿＿＿＿＿＿＿＿＿＿＿＿＿
2. ブラウンさんの車はどれですか。
→＿＿＿＿＿＿＿＿＿＿＿＿＿＿
3. 先生の辞書はどれですか。
→＿＿＿＿＿＿＿＿＿＿＿＿＿＿

ことば

第7課

- 花 (はな)
- さくら
- ビル
- 店 (みせ)
- 有名 (な) (ゆうめい)
- 難しい (むずかしい)
- やさしい
- 静か (な) (しずか)
- ハンサム (な)
- きれい (な)
- 元気 (な) (げんき)
- おおぜい
- にぎやか (な)
- 頭が痛い (あたまがいたい)
- 薬 (くすり)

■ かぜ　■ 親切 (な) (しんせつ)　■ 便利 (な) (べんり)　■ ひま (な)　■ 若い (わかい)
■ きびしい　■ だいじょうぶです　■ どうしましたか
■ ありがとうございます　■ さっき　■ いつも
■ とても　■ ちょっと　■ あまり

会話

1. ブラウン：ここはにぎやかですね。
シン　　：ええ、いつも若い人が
　　　　　おおぜいいます。
ブラウン：きれいな店もありますね。
シン　　：あれは有名なビルです。
ブラウン：高いビルですね。

2. コウ：どうしましたか。
　　　あまり元気ではありませんね。
ヤン：ええ、ちょっと頭が痛いです。
コウ：かぜですか。薬を飲みましたか。
ヤン：はい、さっき飲みました。
コウ：病院へ行きますか。
ヤン：いいえ、だいじょうぶです。
　　　ありがとうございます。

第7課

文の形

1 A は B です。

新宿(しんじゅく)		にぎやか
ブラウンさん	は	元気(げんき)
ヤンさん		ハンサム
シンさん		親切(しんせつ) です。
富士山(ふじさん)		きれい
		どう です か 。

2 A は B ではありません。

妹(いもうと)	は	元気(げんき)	ではありません
事務の人(じむのひと)		親切(しんせつ)	ではありません

3

シンさん		親切(しんせつ) な	人(ひと)	
新宿(しんじゅく)	は	にぎやか な	町(まち)	です。
富士山(ふじさん)		きれい な	山(やま)	
		どんな	～	です か 。

4

とても	いいです
ちょっと	いいです
あまり	よくないです

練 習

形の練習

1　**例**　新宿／にぎやか　→　新宿はにぎやかです。
　　1．ヤンさん／元気　→＿＿＿＿＿＿＿＿＿＿＿＿＿＿＿＿
　　2．となりの部屋／静か　→＿＿＿＿＿＿＿＿＿＿＿＿＿＿＿＿
　　3．青木先生／きれい　→＿＿＿＿＿＿＿＿＿＿＿＿＿＿＿＿
　　4．サリさん／親切　→＿＿＿＿＿＿＿＿＿＿＿＿＿＿＿＿
　　5．スーパー／便利　→＿＿＿＿＿＿＿＿＿＿＿＿＿＿＿＿

2　**例**　ヤンさん／元気　→　ヤンさんは元気ではありません。
　　1．駅／静か　→＿＿＿＿＿＿＿＿＿＿＿＿＿＿＿＿
　　2．あの会社／有名　→＿＿＿＿＿＿＿＿＿＿＿＿＿＿＿＿
　　3．青木先生／ひま　→＿＿＿＿＿＿＿＿＿＿＿＿＿＿＿＿
　　4．あの店の人／親切　→＿＿＿＿＿＿＿＿＿＿＿＿＿＿＿＿
　　5．ここ／便利　→＿＿＿＿＿＿＿＿＿＿＿＿＿＿＿＿

3　**例**　サリさん／親切　→　サリさんは親切ですか。
　　1．東京／静か　→＿＿＿＿＿＿＿＿＿＿＿＿＿＿＿＿
　　2．富士山／有名　→＿＿＿＿＿＿＿＿＿＿＿＿＿＿＿＿
　　3．教室／きれい　→＿＿＿＿＿＿＿＿＿＿＿＿＿＿＿＿
　　4．森先生／ハンサム　→＿＿＿＿＿＿＿＿＿＿＿＿＿＿＿＿
　　5．会社／どう　→＿＿＿＿＿＿＿＿＿＿＿＿＿＿＿＿

4　**例**　サリさん／親切／人　→　サリさんは親切な人です。
　　1．東京／にぎやか／町　→＿＿＿＿＿＿＿＿＿＿＿＿＿＿＿＿
　　2．富士山／有名／山　→＿＿＿＿＿＿＿＿＿＿＿＿＿＿＿＿
　　3．さくら／きれい／花　→＿＿＿＿＿＿＿＿＿＿＿＿＿＿＿＿
　　4．シンさんのお兄さん／ハンサム／人　→＿＿＿＿＿＿＿＿＿＿＿＿＿＿＿＿
　　5．青木先生／どんな／先生　→＿＿＿＿＿＿＿＿＿＿＿＿＿＿＿＿

第7課

練習

5　例　私のかばん／とても／重い　→　私のかばんはとても重いです。
　　　　この部屋／あまり／大きい　→　この部屋はあまり大きくないです。

1．このカメラ／とても／高い　→＿＿＿＿＿＿＿＿＿＿＿＿＿＿＿＿
2．ヤンさん／とても／元気　→＿＿＿＿＿＿＿＿＿＿＿＿＿＿＿＿
3．そのお茶／あまり／熱い　→＿＿＿＿＿＿＿＿＿＿＿＿＿＿＿＿
4．この町／あまり／便利　→＿＿＿＿＿＿＿＿＿＿＿＿＿＿＿＿
5．兄／あまり／背／高い　→＿＿＿＿＿＿＿＿＿＿＿＿＿＿＿＿

文の練習

1　例　リンさんの部屋はきれいです。

1．ヤンさん
2．東京
3．富士山
4．サリさん

1．＿＿＿＿＿＿＿＿＿＿＿＿＿＿＿＿＿＿＿＿＿＿
2．＿＿＿＿＿＿＿＿＿＿＿＿＿＿＿＿＿＿＿＿＿＿
3．＿＿＿＿＿＿＿＿＿＿＿＿＿＿＿＿＿＿＿＿＿＿
4．＿＿＿＿＿＿＿＿＿＿＿＿＿＿＿＿＿＿＿＿＿＿

練習

2　例　東京はにぎやかですか。（はい）　→　はい、にぎやかです。
　　1．さくらはきれいですか。（はい）→＿＿＿＿＿＿＿＿＿＿＿＿＿＿
　　2．この会社は有名ですか。（いいえ）→＿＿＿＿＿＿＿＿＿＿＿＿＿＿
　　3．サリさんは親切ですか。（はい）→＿＿＿＿＿＿＿＿＿＿＿＿＿＿
　　4．シンさんはひまですか。（いいえ）→＿＿＿＿＿＿＿＿＿＿＿＿＿＿
　　5．そこは便利ですか。（いいえ）→＿＿＿＿＿＿＿＿＿＿＿＿＿＿

3　例　1：その辞書はどうですか。（便利）→この辞書は便利です。
　　　　2：リンさんはどんな人ですか。（親切）
　　　　　　　　　→リンさんは親切な人です。
　　1．東京はどんな町ですか。（にぎやか）→＿＿＿＿＿＿＿＿＿＿＿＿＿
　　2．となりの部屋はどうですか。（静か）→＿＿＿＿＿＿＿＿＿＿＿＿＿
　　3．青木先生はどんな先生ですか。（親切）→＿＿＿＿＿＿＿＿＿＿＿
　　4．今週はどうですか。（ひま）→＿＿＿＿＿＿＿＿＿＿＿＿＿＿＿
　　5．さくらはどんな花ですか。（きれい）→＿＿＿＿＿＿＿＿＿＿＿＿

CD 14
4　例　リンさんのくつはどうですか。（とても／いい）
　　　　　　　　　→　とてもいいです。
　　1．シンさんのかばんはどうですか。（あまり／重い）
　　　　→＿＿＿＿＿＿＿＿＿＿＿＿＿＿＿＿＿＿
　　2．ブラウンさんの車はどうですか。（とても／きれい）
　　　　→＿＿＿＿＿＿＿＿＿＿＿＿＿＿＿＿＿＿
　　3．その辞書はどうですか。（あまり／いい）
　　　　→＿＿＿＿＿＿＿＿＿＿＿＿＿＿＿＿＿＿
　　4．この人はどんな人ですか。（とても／有名）
　　　　→＿＿＿＿＿＿＿＿＿＿＿＿＿＿＿＿＿＿
　　5．日本語の勉強はどうですか。（ちょっと／難しい）
　　　　→＿＿＿＿＿＿＿＿＿＿＿＿＿＿＿＿＿＿
　　6．日本語の先生はどんな先生ですか。（とても／きびしい）
　　　　→＿＿＿＿＿＿＿＿＿＿＿＿＿＿＿＿＿＿

第7課

ことば

第8課

- 握手（あくしゅ）をします
- (友（とも）だちと)いっしょに
- はさみ
- 切（き）ります
- 紙（かみ）
- (手紙（てがみ）)を出（だ）します
- (荷物（にもつ）を)運（はこ）びます
- 説明（せつめい）します
- 機械（きかい）
- 切符（きっぷ）
- ちゃわん
- パーティー
- 話（はな）します
- ナイフ・フォーク・スプーン
- はし
- 食事（しょくじ）
- 映画（えいが）
- レポート
- ワープロ
- ファックス

■名前（なまえ）　■速達（そくたつ）　■英語（えいご）　■テスト　■ビデオ　■旅行（りょこう）　■使（つか）います
■連絡（れんらく）します　■じゃあ　■今度（こんど）　■これから　■少（すこ）し　■～よ
■どうやって　■どちら　■へえ　■こんにちは　■ほんとうに

会話

第8課

1. シン　　　：ブラウンさん、あの映画、見ましたか。
　　ブラウン：ええ、先週の日曜日に友だちと
　　　　　　　いっしょに見ました。
　　シン　　　：どうでしたか。
　　ブラウン：とてもおもしろかったですよ。
　　シン　　　：じゃあ、私も今度見ます。

2. 学生1：こんにちは。
　　学生2：こんにちは。昨日は暑かった
　　　　　ですね。
　　学生1：ええ、ほんとうに。今日は
　　　　　少し涼しいですね。
　　学生2：ええ、あまり暑くないです。

3. パク　　　：ブラウンさん、これから何を
　　　　　　　しますか。
　　ブラウン：日本人の友だちに手紙を書きます。
　　パク　　　：へえ、日本語で書きますか。
　　ブラウン：いいえ、英語で書きます。

4. 学生1：日本の人はどうやって
　　　　　食事をしますか。
　　学生2：はしとちゃわんで食事を
　　　　　します。
　　学生1：ちゃわんは手で持ちますか。
　　学生2：はい、手で持ちます。
　　　　　ナイフやフォークなども
　　　　　使いますよ。

文の形

1　A は B かった です。

あつい ＋ かった → あつ<u>かった</u>

| さむい | です → | さむかった | です |
| おもしろい | です → | おもしろかった | です |

| いい | です → | よかった | です |

2　A は B くなかった です。

あつくない ＋ かった → あつ<u>くなかった</u>

| さむくない | です → | さむくなかった | です |
| おもしろくない | です → | おもしろくなかった | です |

| よくない | です → | よくなかった | です |

3　　　　で　〜ます

カタカナ		名前を 書きます。
英語（えいご）		手紙（てがみ）を 書きます。
ボールペン	で	手紙を 書きます。
機械（きかい）		切符（きっぷ）を 買います。
はさみ		紙（かみ）を 切ります。
電話（でんわ）		話（はな）します。
何（なん）		〜 か。

練 習

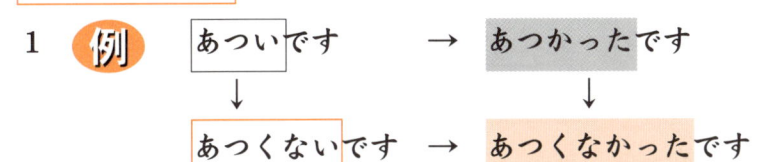

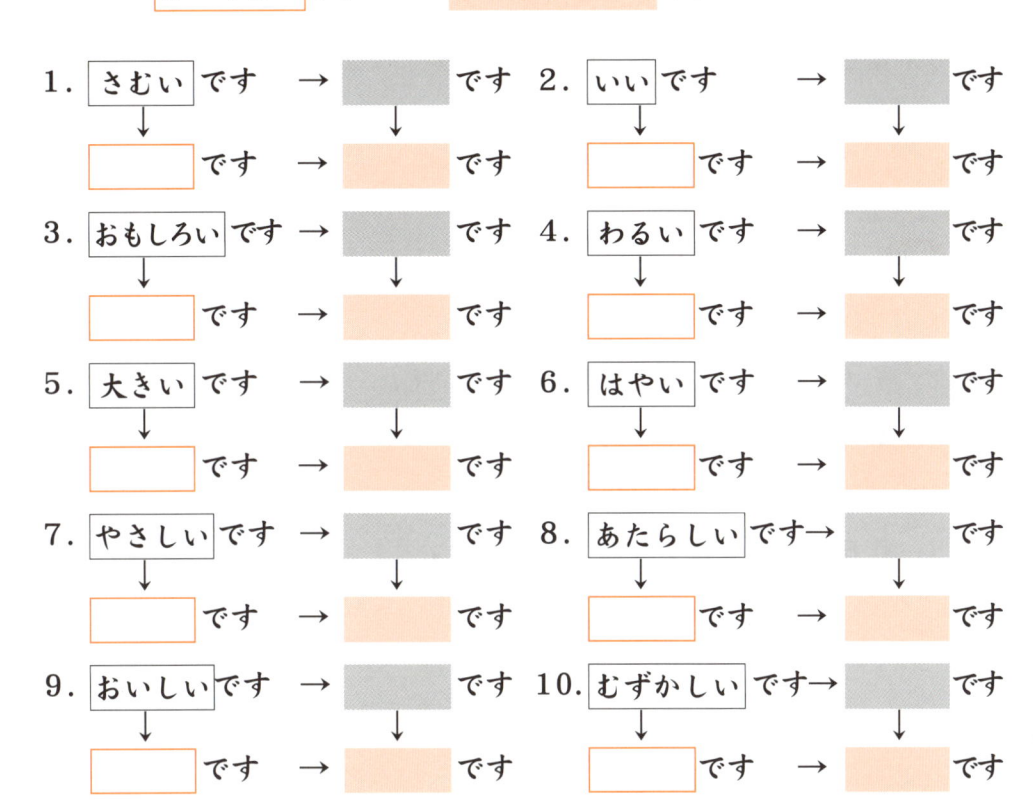

形の練習

1 例　あついです → あつかったです
　　　　↓　　　　　　↓
　　　あつくないです → あつくなかったです

1. さむいです → ＿＿です　　2. いいです → ＿＿です
　　↓　　　　　　↓　　　　　　　↓　　　　　　↓
　　＿＿です → ＿＿です　　　　＿＿です → ＿＿です

3. おもしろいです → ＿＿です　　4. わるいです → ＿＿です
　　↓　　　　　　　↓　　　　　　　↓　　　　　　↓
　　＿＿です → ＿＿です　　　　　　＿＿です → ＿＿です

5. 大きいです → ＿＿です　　6. はやいです → ＿＿です
　　↓　　　　　　↓　　　　　　　↓　　　　　　↓
　　＿＿です → ＿＿です　　　　＿＿です → ＿＿です

7. やさしいです → ＿＿です　　8. あたらしいです → ＿＿です
　　↓　　　　　　↓　　　　　　　↓　　　　　　↓
　　＿＿です → ＿＿です　　　　＿＿です → ＿＿です

9. おいしいです → ＿＿です　　10. むずかしいです → ＿＿です
　　↓　　　　　　↓　　　　　　　↓　　　　　　↓
　　＿＿です → ＿＿です　　　　＿＿です → ＿＿です

2 例　はし／ごはんを食べます → はしでごはんを食べます。
1. ひらがな　／　名前を書きます →＿＿＿＿＿＿＿＿＿＿
2. 日本語　　／　手紙を書きます →＿＿＿＿＿＿＿＿＿＿
3. ワープロ　／　レポートを書きます →＿＿＿＿＿＿＿＿＿＿
4. 右手　　　／　握手をします →＿＿＿＿＿＿＿＿＿＿
5. 自動車　　／　荷物を運びます →＿＿＿＿＿＿＿＿＿＿
6. ナイフ　　／　りんごを切ります →＿＿＿＿＿＿＿＿＿＿
7. 電話　　　／　話します →＿＿＿＿＿＿＿＿＿＿
8. 速達　　　／　手紙を出します →＿＿＿＿＿＿＿＿＿＿
9. ビデオ　　／　説明します →＿＿＿＿＿＿＿＿＿＿
10. 飛行機　　／　大阪へ行きます →＿＿＿＿＿＿＿＿＿＿

第8課

練習

文の練習

1 **例** 暑いです → 昨日は <u>暑かったです</u>。
   1. 忙しいです → 先週は_____
   2. 暖かいです → おとといは_____
   3. 楽しくないです → 昨日のパーティーは_____
   4. いいです → 去年の旅行は_____
   5. いいです → 昨日の天気はあまり_____

2 **例** 昨日は暑かったですか。（いいえ）→<u>いいえ、暑くなかったです。</u>
   1. 今朝は寒かったですか。（はい） →_____
   2. テストは難しかったですか。（いいえ） →_____
   3. あのケーキはおいしかったですか。（いいえ） →_____
   4. お茶は熱かったですか。（はい） →_____
   5. 昨日の映画はよかったですか（いいえ） →_____

練習

CD 16

3 例　旅行はどうでしたか。（とても、楽しい）
　　　　→　とても楽しかったです。

1．この本はどうでしたか。（とても、おもしろい）→＿＿＿＿＿＿＿
2．大阪の天気はどうでしたか。（少し、寒い）→＿＿＿＿＿＿＿
3．テストはどうでしたか。（あまり、難しい）→＿＿＿＿＿＿＿
4．パクさんの料理はどうでしたか。（とても、おいしい）→＿＿＿＿＿＿＿
5．映画はどうでしたか。（とても、いい）→＿＿＿＿＿＿＿

4 例　何でご飯を食べますか。（はし）　→　はしで食べます。

1．何で大阪へ行きましたか。（飛行機）　→＿＿＿＿＿＿＿
2．何で荷物を運びましたか。（自動車）　→＿＿＿＿＿＿＿
3．何語で手紙を書きますか。（日本語）　→＿＿＿＿＿＿＿
4．どちらの手で字を書きますか。（右手）　→＿＿＿＿＿＿＿
5．何で連絡しますか。（FAX）　→＿＿＿＿＿＿＿

第8課

天気　　　　　旅行　　　　　字

ことば

第9課

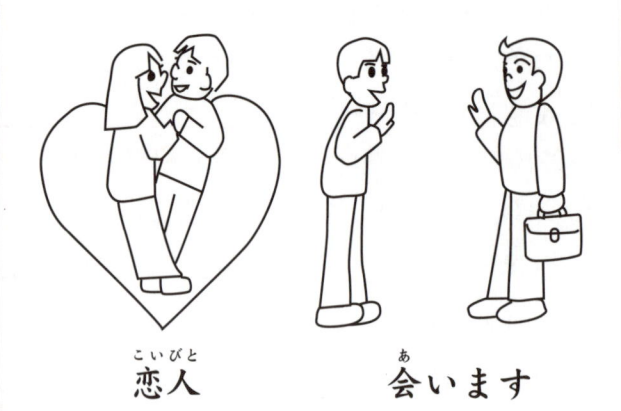

恋人 (こいびと)

会います (あいます)

漢字 (かんじ)
人　日本　花

駅員 (えきいん)

店員 (てんいん)

- ■ 奈良 (なら)
- ■ 食べ物 (たべもの)
- ■ 保証人 (ほしょうにん)
- ■ おみやげ
- ■ 簡単（な）(かんたん)
- ■ 不便（な）(ふべん)
- ■ 見つかります (み)
- ■ つかれます
- ■ 気をつけて (き)
- ■ この間 (あいだ)
- ■ お帰りなさい (かえ)
- ■ ただいま
- ■ 行ってらっしゃい (い)
- ■ さよなら
- ■ じゃ
- ■ さあ
- ■ でも

会話

1. リン：サリさん、お帰りなさい。
　　サリ：ただいま。これ、おみやげです。
　　リン：ありがとうございます。京都はどうでしたか。
　　サリ：とてもきれいでした。でも、人がおおぜいいました。
　　　　　あまり静かではありませんでした。

2. 学生1：じゃ、さよなら。
　　学生2：これからどこへ行きますか。
　　学生1：新宿へ行きます。国の友だちに会います。
　　学生2：そうですか。じゃ、気をつけて行ってらっしゃい。

3. シン：昨日、デパートでサリさんに会いましたよ。
　　パク：どこのデパートですか。
　　シン：銀座のデパートです。きれいな女の人といっしょにいましたよ。
　　パク：恋人ですか。
　　シン：さあ、わかりません。

第9課

文の形

1 Ⓐ は ㅤB ㅤでした。

| 元気 | です → | 元気 | でした。 |
| きれい | です → | きれい | でした。 |

2 Ⓐ は ㅤB ㅤではありませんでした。

| 元気 | ではありません → | 元気 | ではありませんでした。 |
| きれい | ではありません → | きれい | ではありませんでした。 |

3 ▢ で ▢ に 会います。

新宿		友だち		会います。
事務室	で	保証人	に	
駅		会社の人		会いました。
スーパー		パクさん		
どこ		だれ		会いました か。

4 ▢ 。でも、 ▢ 。

昨日は寒かったです		今日は寒くないです	
漢字は難しいです	。でも、	漢字の勉強はおもしろいです	。
日本の食べ物はおいしいです		高いです	

練習

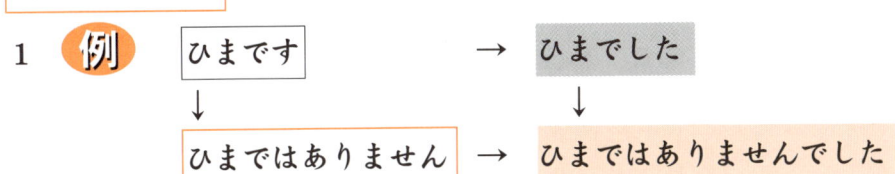

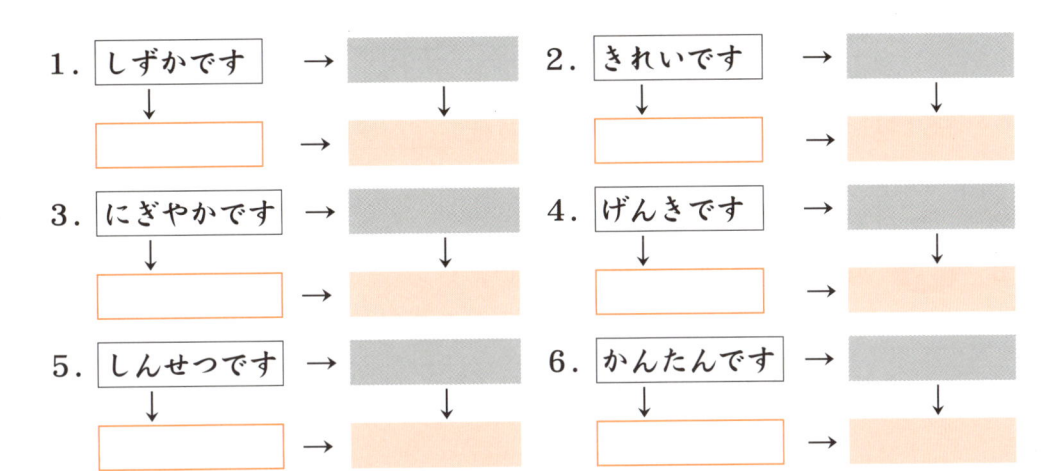

形の練習

1　例　ひまです　→　ひまでした
　　　　↓　　　　　　↓
　　　ひまではありません　→　ひまではありませんでした

1. しずかです　→　　　　　　
　　↓　　　　　　↓
2. きれいです　→　　　　　　
　　↓　　　　　　↓
3. にぎやかです　→　　　　　　
　　↓　　　　　　↓
4. げんきです　→　　　　　　
　　↓　　　　　　↓
5. しんせつです　→　　　　　　
　　↓　　　　　　↓
6. かんたんです　→　　　　　　
　　↓　　　　　　↓

第9課

2　例　駅／友だち／会います　→　駅で友だちに会います。
1. パーティー／先生／会います　→　_____
2. 新宿／保証人／会います　→　_____
3. スーパー／サリさん／会いました　→　_____
4. 銀行／会社の人／会いました　→　_____
5. うちの前／となりの人／会いました　→　_____

3　例　この本はおもしろいです。／高いです。
　　　　→　この本はおもしろいです。でも、高いです。
1. パーティーは楽しかったです。／つかれました。→_____
2. 私のアパートは広いです。／高いです。→_____
3. リンさんはおいしいケーキを作りました。／ヤンさんは食べませんでした。
　　→_____
4. この店の店員は親切です。／料理はおいしくないです。→
　　→_____
5. 今日は天気がいいです。／寒いです。→_____

練習

文の練習

1 **例** ひまです → 昨日、私は<u>ひまでした</u>。

   1．にぎやかです → この間のパーティーは_____
   2．静かです → 昨日、となりの部屋は_____
   3．きれいです → ゆうべ、さくらは_____
   4．元気です → 昨日、田中さんは_____
   5．親切です → デパートの店員は_____

2 **例** 昨日、ひまでしたか。（いいえ）
        →<u>いいえ、ひまではありませんでした。</u>

   1．さくらはきれいでしたか。（はい）
        →_____
   2．公園の花はきれいでしたか。（いいえ）
        →_____
   3．駅の前はにぎやかでしたか。（いいえ）
        →_____
   4．リンさんは元気でしたか。（はい）
        →_____
   5．駅員は親切でしたか。（いいえ）
        →_____

練習

3 例　京都はどうでしたか。（とても、きれい）
　　　→　とてもきれいでした。
1．奈良はどうでしたか。（とても、静か）
　　　→＿＿＿＿＿＿＿＿＿＿＿＿＿＿＿＿＿＿＿＿＿＿
2．ブラウンさんはどうでしたか。（あまり、元気）
　　　→＿＿＿＿＿＿＿＿＿＿＿＿＿＿＿＿＿＿＿＿＿＿
3．店員はどうでしたか。（あまり、親切）
　　　→＿＿＿＿＿＿＿＿＿＿＿＿＿＿＿＿＿＿＿＿＿＿
4．昨日のテストはどうでしたか。（とても、簡単）
　　　→＿＿＿＿＿＿＿＿＿＿＿＿＿＿＿＿＿＿＿＿＿＿
5．ヤンさんのアパートはどうでしたか。（少し、不便）
　　　→＿＿＿＿＿＿＿＿＿＿＿＿＿＿＿＿＿＿＿＿＿＿

4 例　昨日は友だちの家へ行きました。でも、友だちはいませんでした。
1．日本語の勉強は難しいです。でも、＿＿＿＿＿＿＿＿＿＿＿＿＿＿
2．おいしい料理を作りました。でも、兄は＿＿＿＿＿＿＿＿＿＿＿＿
3．わたしの家の近くはとても静かです。でも、＿＿＿＿＿＿＿＿＿＿
4．この店はとてもきれいです。でも、料理は＿＿＿＿＿＿＿＿＿＿＿
5．さいふは見つかりませんでした。でも、駅員は＿＿＿＿＿＿＿＿＿

ことば

第10課

食べ物
- 果物（くだもの）
  - りんご
  - みかん
  - バナナ
- チョコレート
- さしみ
- ラーメン
- 魚（さかな）
- （お）すし

スポーツ
- ピンポン
- テニス
- サッカー

歌（うた）
ギター
ひきます

楽器（がっき）

すき（な）　きらい（な）

ダンス

- ■音楽（おんがく）
- ■あまい
- ■あまい物（もの）
- ■かわいい

会話

1. コウ：私はこれからスーパーへ行きます。
   リン：そうですか。私も肉やくだものを買います。
   コウ：リンさんは肉がすきですか。
   リン：ええ、すきです。コウさんは？
   コウ：私は肉があまりすきではありません。

2. ヤン　　：ブラウンさんはおすしを食べますか。
   ブラウン：いいえ、食べません。
   ヤン　　：どうしてですか。
   ブラウン：魚がきらいですから。
   ヤン　　：じゃ、さしみも食べませんね。
   ブラウン：ええ、食べません。

3. ヤン　　：日曜日に何をしましたか。
   ブラウン：テニスをしました。楽しかったですよ。
   ヤン　　：ブラウンさんはテニスがすきですか。
   ブラウン：ええ、とてもすきです。サッカーもすきです。
   ヤン　　：そうですか。私はスポーツがあまりすきではありません。
   ブラウン：じゃ、何がすきですか。
   ヤン　　：音楽がすきです。

文の形

1

○ は ▭ が すき／きらい です。

| リンさん／サリさん／ブラウンさん／シンさん | は | 歌／料理／テニス／何／どんな スポーツ／音楽／くだもの | が | すき／きらい | です。／ですか。 |

2

○ は ▭ が すき／きらい ではありません。

| ヤンさん／パクさん／アントニオさん | は | スポーツ／野菜／りんご | が | すき／きらい | ではありません。 |

3

👩：どうしてですか。 　👨：▭ から。

👨：パーティーへ行きません。
　　さしみは食べません。

👩：どうしてですか。 　👨：いそがしいです／きらいです　から。

練習

形の練習

1 **例** テニス → 私はテニスがすきです。
　　　　　　　↔ 私はテニスがすきではありません。

　1. スポーツ →＿＿＿＿＿＿＿＿＿＿　↔　＿＿＿＿＿＿＿＿＿＿
　2. 料理 →＿＿＿＿＿＿＿＿＿＿　↔　＿＿＿＿＿＿＿＿＿＿
　3. 音楽 →＿＿＿＿＿＿＿＿＿＿　↔　＿＿＿＿＿＿＿＿＿＿
　4. 果物 →＿＿＿＿＿＿＿＿＿＿　↔　＿＿＿＿＿＿＿＿＿＿
　5. 日本の食べ物 →＿＿＿＿＿＿＿＿＿＿　↔　＿＿＿＿＿＿＿＿＿＿

2 **例** テニス→ 私はテニスがきらいです。
　　　　　　　↔ 私はテニスがきらいではありません。

　1. 野菜 →＿＿＿＿＿＿＿＿＿＿　↔　＿＿＿＿＿＿＿＿＿＿
　2. りんご →＿＿＿＿＿＿＿＿＿＿　↔　＿＿＿＿＿＿＿＿＿＿
　3. 勉強 →＿＿＿＿＿＿＿＿＿＿　↔　＿＿＿＿＿＿＿＿＿＿
　4. ビール →＿＿＿＿＿＿＿＿＿＿　↔　＿＿＿＿＿＿＿＿＿＿
　5. 犬 →＿＿＿＿＿＿＿＿＿＿　↔　＿＿＿＿＿＿＿＿＿＿

3 **例** どうしてスポーツがすきですか。（おもしろいです）
　　　　→ おもしろいですから。

　1. どうして犬がすきですか。（かわいいです）→＿＿＿＿＿＿＿＿
　2. どうして野菜がきらいですか。（おいしくないです）→＿＿＿＿＿＿
　3. どうして日本の歌がすきですか。（きれいです）→＿＿＿＿＿＿＿
　4. どうして日本料理がすきですか。（おいしいです）→＿＿＿＿＿
　5. どうして日本語を勉強しますか。（おもしろいです）→＿＿＿＿
　6. どうしてピンポンをしませんか。（きらいです）→＿＿＿＿＿＿
　7. どうしてダンスをしませんか。（あまりすきではありません）
　　　　　　　　　　　　　→＿＿＿＿＿＿＿＿＿＿
　8. どうしてさしみを食べませんか。（きらいです）→＿＿＿＿＿

練習

文の練習

1 例 パクさんは果物がすきです。

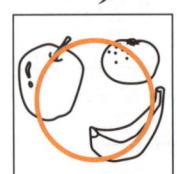

　　パク　　1. ブラウン　2. シン　3. 青木先生　4. ピエール　5. コウ

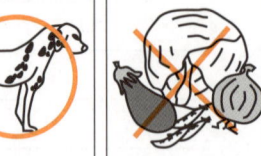

1. ＿＿＿＿＿＿＿＿＿＿＿＿＿＿＿＿
2. ＿＿＿＿＿＿＿＿＿＿＿＿＿＿＿＿
3. ＿＿＿＿＿＿＿＿＿＿＿＿＿＿＿＿
4. ＿＿＿＿＿＿＿＿＿＿＿＿＿＿＿＿
5. ＿＿＿＿＿＿＿＿＿＿＿＿＿＿＿＿

CD 20

2 例 ブラウンさんはビールがすきですか。（はい）
　　→はい、すきです。

1. ヤンさんはラーメンがすきですか。（はい、とても）→＿＿＿＿＿＿
2. アントニオさんは魚がすきですか。（いいえ、あまり）→＿＿＿＿＿＿
3. パクさんは日本の歌がすきですか。（はい、とても）→＿＿＿＿＿＿
4. あなたは勉強がすきですか。（いいえ）→＿＿＿＿＿＿
5. 青木先生は犬がすきですか。（はい、とても）→＿＿＿＿＿＿
6. ピエールさんは野菜がすきですか。（いいえ、あまり）→＿＿＿＿＿＿
7. シンさんは日本がすきですか。（はい）→＿＿＿＿＿＿

3 例 A：＿＿＿さんは、テニスをしますか。
　　　　　　　　　　　a
　　B：ええ、します。とてもすきです。
　　A：そうですか。私はスポーツをあまりしません。
　　　　　　　　　　　　　　b
　　B：じゃ、何がすきですか。
　　A：音楽がすきです。
　　　　c
　　B：そうですか。

1. a. さしみを食べます。　　b. 魚　　c. 肉
2. a. ギターをひきます。　　b. 楽器　　c. 歌
3. a. チョコレートを食べます。　b. あまい物　c. お酒

読み物

1　ケンさんの手紙

　ゆみさん、お元気ですか。サンフランシスコは、毎日いい天気です。きのう、テレビのニュースで「東京でじしんがありました。しんかんせんがとまりました。」と言いました。じしんは、どうでしたか。ゆみさんは、だいじょうぶでしたか。東京とサンフランシスコはとおいですが、テレビやインターネットなどがありますから、東京のニュースがすぐわかります。

　私は、明日から来週の木曜日まで、ヨセミテ公園でキャンプをします。アジアやヨーロッパの国の学生が来ます。いっしょに食事をつくります。でも、私のグループには、もんだいがあります。バングラデシュのアリフさんは、ぶたにくを食べません。韓国のシンさんは、とりにくを食べません。私は、さかながきらいです。そして、みんな料理があまりすきではありません。私はちょっとしんぱいです。

　明日の朝は5時に起きます。ヨセミテ公園まで車で6時間かかります。金曜日の夜はいつも友だちとダンスをしますが、今晩はダンスをしません。10時に寝ます。

　では、また手紙を書きます。さようなら。

　8月10日　　　　　　　　　　　　　　　　　　　ケン

【ことば】

サンフランシスコ　ニュース　じしん　とまります　インターネット　わかります　ヨセミテ公園　アジア　ヨーロッパ　キャンプ　グループ　もんだい　ぶたにく　とりにく　しんぱいです　起きます　寝ます

【もんだい】

1. ゆみさんはどこにいますか。
2. ケンさんはどこにいますか。
3. ケンさんはどうやって東京のニュースがわかりますか。
4. キャンプは何日から何日までですか。
5. どうしてダンスをしませんか。

ことば

第11課

上手（な） じょうず	下手（な） へた	歌を歌います うた　うた

カラオケ

料理
りょうり

絵
え

母
はは

声
こえ

会話

1. シン　　：パクさんの絵を見ましたか。
　ブラウン：はい、見ました。とても
　　　　　　きれいな絵ですね。
　シン　　：ええ、パクさんは絵が上手
　　　　　　ですね。
　ブラウン：そう、とても上手ですね。
　シン　　：私は絵が下手です。
　　　　　　ブラウンさんはどうですか。
　ブラウン：私もあまり上手では
　　　　　　ありません。

2. リン：土曜日の夜、カラオケへ
　　　　　行きました。
　ヤン：そうですか。どんな歌を
　　　　歌いましたか。
　リン：日本の歌を歌いました。
　　　　ヤンさんもカラオケで
　　　　日本の歌を歌いますか。
　ヤン：いいえ。私は歌が下手です。
　　　　でも、妹は上手です。
　　　　妹は声がいいです。

文の形

1

○ は ▭ が 上手／下手 です。

| 私 / サリさん / ブラウンさん / パクさん | は | 歌 / 料理 / テニス / 絵 | (が) | 上手 | です。 |

| 私 | は | 歌 | (が) | 下手 | です。 |

2

○ は ▭ が 上手 ではありません。

| 私 / パクさん / アントニオさん / シンさん | は | 歌 / ギター / 日本語 / ピンポン | (が) | 上手 | ではありません。 |

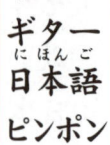

形の練習

1 **例** パクさん、絵 → パクさんは絵が上手です。
　　　　　　　　　　→ パクさんは絵が上手ではありません。

　1．ブラウンさん、テニス →＿＿＿＿＿＿＿＿＿＿＿＿＿＿＿
　　　　　　　　　　　　　→＿＿＿＿＿＿＿＿＿＿＿＿＿＿＿
　2．サリさん、料理 →＿＿＿＿＿＿＿＿＿＿＿＿＿＿＿
　　　　　　　　　　→＿＿＿＿＿＿＿＿＿＿＿＿＿＿＿
　3．ヤンさん、歌 →＿＿＿＿＿＿＿＿＿＿＿＿＿＿＿
　　　　　　　　　→＿＿＿＿＿＿＿＿＿＿＿＿＿＿＿
　4．ピエールさん、サッカー →＿＿＿＿＿＿＿＿＿＿＿＿＿＿＿
　　　　　　　　　　　　　　→＿＿＿＿＿＿＿＿＿＿＿＿＿＿＿
　5．私、日本語 →＿＿＿＿＿＿＿＿＿＿＿＿＿＿＿
　　　　　　　　→＿＿＿＿＿＿＿＿＿＿＿＿＿＿＿

2 **例** 私、絵 → 私は絵が下手です。
　1．妹、料理 →＿＿＿＿＿＿＿＿＿＿＿＿＿＿＿
　2．私、サッカー →＿＿＿＿＿＿＿＿＿＿＿＿＿＿＿
　3．母、歌 →＿＿＿＿＿＿＿＿＿＿＿＿＿＿＿
　4．私、ギター →＿＿＿＿＿＿＿＿＿＿＿＿＿＿＿
　5．アントニオさん、ピンポン →＿＿＿＿＿＿＿＿＿＿＿＿＿＿＿

練習

文の練習

1　**例**　テニス
　　→　私はテニスがすきです。でも、あまり上手ではありません。
　1．料理　→＿＿＿＿＿＿＿＿＿＿＿＿＿＿＿＿＿＿＿＿＿＿＿＿＿＿
　2．スポーツ　→＿＿＿＿＿＿＿＿＿＿＿＿＿＿＿＿＿＿＿＿＿＿＿
　3．ダンス　→＿＿＿＿＿＿＿＿＿＿＿＿＿＿＿＿＿＿＿＿＿＿＿＿
　4．歌　→＿＿＿＿＿＿＿＿＿＿＿＿＿＿＿＿＿＿＿＿＿＿＿＿＿＿
　5．絵　→＿＿＿＿＿＿＿＿＿＿＿＿＿＿＿＿＿＿＿＿＿＿＿＿＿＿

2　**例**　ヤンさんはピンポンが上手です。

　　1　　　　　2　　　　　3　　　　　4　　　　　5
　ブラウンさん　ピエールさん　ヤンさん　サリさん　パクさん

　1．→＿＿＿＿＿＿＿＿＿＿＿＿＿＿＿＿＿＿＿＿＿＿＿＿＿＿＿＿
　2．→＿＿＿＿＿＿＿＿＿＿＿＿＿＿＿＿＿＿＿＿＿＿＿＿＿＿＿＿
　3．→＿＿＿＿＿＿＿＿＿＿＿＿＿＿＿＿＿＿＿＿＿＿＿＿＿＿＿＿
　4．→＿＿＿＿＿＿＿＿＿＿＿＿＿＿＿＿＿＿＿＿＿＿＿＿＿＿＿＿
　5．→＿＿＿＿＿＿＿＿＿＿＿＿＿＿＿＿＿＿＿＿＿＿＿＿＿＿＿＿

練習

3 例　リンさんは歌が上手ですか。（はい）
　　　→<u>はい、上手です。</u>

1. シンさんは日本語が上手ですか。（はい、とても）
　→_____
2. コウさんはダンスが上手ですか。（いいえ、あまり）
　→_____
3. ピエールさんは絵が上手ですか。（いいえ）
　→_____
4. あなたは料理が上手ですか。
　→_____
5. あなたはテニスが上手ですか。
　→_____

ことば

第12課

- テープレコーダー
- コンピューター
- 引き出し
- オートバイ
- セーター
- シャツ
- 時計
- 新聞
- コーラ
- ウエートレス
- 客

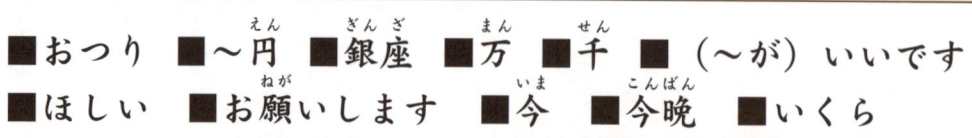

■おつり ■〜円 ■銀座 ■万 ■千 ■（〜が）いいです
■ほしい ■お願いします ■今 ■今晩 ■いくら

会話

1. サリ　　：ブラウンさんは、今、何が
　　　　　　　ほしいですか。
　　ブラウン：電話がほしいです。サリさんは
　　　　　　　何がほしいですか。
　　サリ　　：私はカメラがほしいです。

2. 客　　：すみません。ミコンの
　　　　　　カメラはありますか。
　　店員：はい、こちらです。
　　客　　：このカメラはいくらですか。
　　店員：それは5万6千円です。

3. 客1：何がいいですか。
　　客2：ジュースがいいです。
　　客1：すみません。ジュースとコーラを
　　　　　お願いします。
　　ウエートレス：はい、ジュースとコーラですね。

　　ウエートレス：650円です。おつりは350円です。
　　　　　　　　　ありがとうございました。

4. リン　　：昨日どこへ行きましたか。
　　ブラウン：銀座へ行きました。でも、
　　　　　　　何も買いませんでした。
　　　　　　　リンさんはどこへ行きましたか。
　　リン　　：私はどこも行きませんでした。
　　　　　　　うちにいました。

文の形

1 私 は ▢ が ほしいです。

| 私 | は | ワープロ / カメラ / コンピューター / オートバイ / 友だち | が | ほしいです。(ほしくないです。) |
| あなた | | 何 | が | ほしいですか。|

2 ● は ▢ 円 です。
●　は　いくら ですか。

| このシャツ / そのセーター / あのかばん | は | 2,600 円 / 5,800 円 / 8,700 円 | です。|
| | | いくら | ですか。|

3 どこも／何も／だれも ～ません／ませんでした。

私は	どこも	行きません。
	何も	買いません。/ 食べません。
部屋に / 机の上に	だれも / 何も	いません。/ ありません。

文の形

形の練習

1. 例　私／カメラ　→　私はカメラがほしいです。
   1. 私／テープレコーダー　→＿＿＿＿＿＿＿＿＿＿＿＿＿＿＿＿＿＿＿＿
   2. 私／かばん　→＿＿＿＿＿＿＿＿＿＿＿＿＿＿＿＿＿＿＿＿＿＿＿＿
   3. あなた／何　→＿＿＿＿＿＿＿＿＿＿＿＿＿＿＿＿＿＿＿＿＿＿＿
   4. 私／友だち　→＿＿＿＿＿＿＿＿＿＿＿＿＿＿＿＿＿＿＿＿＿＿＿

2. 例　¥100　→ひゃくえん
   1. ¥1,000　→＿＿＿＿＿＿＿＿＿＿＿＿＿＿＿＿＿＿＿＿＿＿＿＿＿
   2. ¥10,000　→＿＿＿＿＿＿＿＿＿＿＿＿＿＿＿＿＿＿＿＿＿＿＿
   3. ¥300　→＿＿＿＿＿＿＿＿＿＿＿＿＿＿＿＿＿＿＿＿＿＿＿＿＿
   4. ¥600　→＿＿＿＿＿＿＿＿＿＿＿＿＿＿＿＿＿＿＿＿＿＿＿＿＿
   5. ¥800　→＿＿＿＿＿＿＿＿＿＿＿＿＿＿＿＿＿＿＿＿＿＿＿＿＿
   6. ¥336　→＿＿＿＿＿＿＿＿＿＿＿＿＿＿＿＿＿＿＿＿＿＿＿＿＿
   7. ¥1,645　→＿＿＿＿＿＿＿＿＿＿＿＿＿＿＿＿＿＿＿＿＿＿＿＿
   8. ¥18,000　→＿＿＿＿＿＿＿＿＿＿＿＿＿＿＿＿＿＿＿＿＿＿＿
   9. ¥460,000　→＿＿＿＿＿＿＿＿＿＿＿＿＿＿＿＿＿＿＿＿＿＿
   10. ¥8,000,000　→＿＿＿＿＿＿＿＿＿＿＿＿＿＿＿＿＿＿＿＿＿

3. 例　カメラ、35,000円　→　カメラはさんまんごせんえんです。
   1. 車、175万円　→＿＿＿＿＿＿＿＿＿＿＿＿＿＿＿＿＿＿＿＿＿
   2. ビール、380円　→＿＿＿＿＿＿＿＿＿＿＿＿＿＿＿＿＿＿＿＿
   3. 新聞、120円　→＿＿＿＿＿＿＿＿＿＿＿＿＿＿＿＿＿＿＿＿
   4. 映画、1,800円　→＿＿＿＿＿＿＿＿＿＿＿＿＿＿＿＿＿＿＿
   5. セーター、8,900円　→＿＿＿＿＿＿＿＿＿＿＿＿＿＿＿＿＿

4. 例　どこ、行きません　→　どこも行きません。
   1. だれ、いません　→＿＿＿＿＿＿＿＿＿＿＿＿＿＿＿＿＿＿＿
   2. 何、買いません　→＿＿＿＿＿＿＿＿＿＿＿＿＿＿＿＿＿＿＿
   3. 何、ありません　→＿＿＿＿＿＿＿＿＿＿＿＿＿＿＿＿＿＿＿
   4. だれ、来ません　→＿＿＿＿＿＿＿＿＿＿＿＿＿＿＿＿＿＿＿

第12課

練習

文の練習

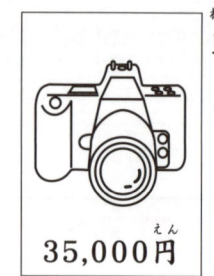

1

A 例　私はカメラがほしいです。
　　　　35,000円

1. 2,500,000円
2. 8,000円
3. 480円
4. 309,000円
5. 8,600円

1. _____
2. _____
3. _____
4. _____
5. _____

B 例　カメラはいくらですか。　→　カメラは35,000円です。

1. _____　→_____
2. _____　→_____
3. _____　→_____
4. _____　→_____
5. _____　→_____

練習

CD 24 2　**例** 明日どこへ行きますか。（デパート）　→　デパートへ行きます。

1. あなたは何がほしいですか。（ビール）　→_____
2. 自転車はいくらですか。（36,000円）　→_____
3. 明日どこへ行きますか。（どこも）　→_____
4. あなたは何がほしいですか。（友だち）　→_____
5. あなたは何を買いますか。（時計）　→_____
6. あなたは何を食べますか。（何も）　→_____
7. 今晩だれが来ますか。（だれも）　→_____
8. 事務室にだれがいますか。（だれも）　→_____
9. 机の上に何がありますか。（辞書）　→_____
10. 引き出しの中に何がありますか。（何も）　→_____

ことば

第13課

サンドイッチ　シャープペンシル　お金(かね)

ハンバーガー　ご飯(はん)　アイス　ホット

切手(きって)　はがき　少し(すこし)　たくさん

- ■みんな ■知(し)らせます ■それから ■よく ■〜が、〜
- ■ときどき ■ぜんぜん ■〜か〜 ■全部(ぜんぶ)で〜です
- ■いらっしゃいませ ■ください ■〜つ ■〜個(こ) ■〜匹(ひき)
- ■〜本(ほん) ■〜足(そく) ■〜人(にん) ■〜枚(まい) ■〜杯(はい) ■〜冊(さつ) ■〜台(だい)
- ■いくつ ■何(なん)〜

会話

1. 店員：いらっしゃいませ。
   客　：すみません、サンドイッチを
   　　　ください。
   店員：サンドイッチをひとつですね。
   客　：はい。あ、それから、
   　　　コーヒーもお願いします。
   店員：コーヒーはホットですか、
   　　　アイスですか。
   客　：ホットをください。
   店員：はい、ぜんぶで720円です。

2. 学生1：朝、いつも何を食べますか。
   学生2：私は、いつもパンと果物を
   　　　食べます。それから、
   　　　牛乳かコーヒーを飲みます。
   　　　今朝は、パンを2枚と
   　　　バナナを1本食べました。
   　　　牛乳も少し飲みました。

3. リン：パクさんはお酒をよく飲みますか。
   パク：私はお酒があまりすきでは
   　　　ありませんが、ときどき飲みますよ。
   　　　リンさんはどうですか。
   リン：私の家族は、みんなお酒が
   　　　すきですから、たくさん飲みます。
   　　　でも、私はぜんぜん飲みません。

文の形

1 ▢ を ▢ ください。

ノート		いっさつ
りんご	を	さんこ
はがき		にまい
ボールペン		さんぼん

ください。

2 ● は ▢ を ▢ ▢ 。

ヤンさん		りんご		みっつ	買います 。
パクさん	は	さかな	を	いっぴき	食べます 。
アントニオさん		ごはん		にはい	食べます 。
		みかん		いくつ	買います
		コーヒー		なんばい	飲みます

(か) 。

3 | いつも ／よく ／ ときどき ／ぜんぜん |

月 火 水 木 金 土 日 月 火
○ ○ ○ ○ ○ ○ ○ ○ ○ ‥‥ いつも
○ × ○ ○ ○ × ○ ○ ○ ‥‥ よく   } ビールを飲みます。
× × ○ × × × ○ × × ‥‥ ときどき
× × × × × × × × × ‥‥ ぜんぜん   飲みません。

4 A か B

牛乳（ぎゅうにゅう）		コーヒー	を 飲みます。
土曜日（どようび）	か	日曜日（にちようび）	に 行きます。
電話（でんわ）		ファックス	で 知らせます。

練習

2枚　1足　3本　2匹　2台　3人

形の練習

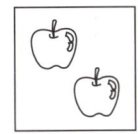

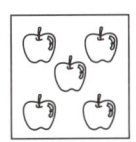

1 例　ひとつ

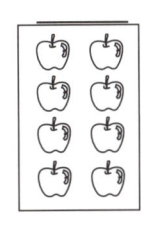

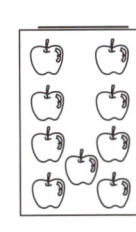

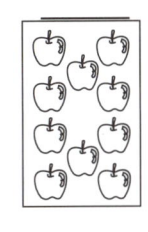

2 例　1本

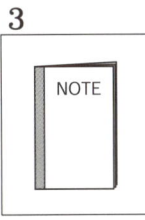

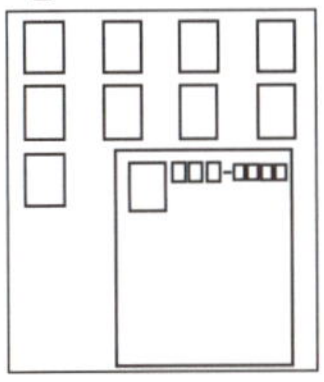

1. ＿＿＿＿＿＿＿＿＿＿＿＿＿
2. ＿＿＿＿＿＿＿＿＿＿＿＿＿
3. ＿＿＿＿＿＿＿＿＿＿＿＿＿
4. ＿＿＿＿＿＿＿＿＿＿＿＿＿
5. ＿＿＿＿＿＿＿＿＿＿＿＿＿
6. ＿＿＿＿＿＿＿＿＿＿＿＿＿

3 例　ジュース、お茶（飲みます）→ジュースかお茶を飲みます。
1. 肉、魚（食べます）＿＿＿＿＿＿＿＿＿＿＿＿＿＿＿＿＿＿
2. 自転車、オートバイ（ほしいです）＿＿＿＿＿＿＿＿＿＿
3. 月曜日、火曜日（来ます）＿＿＿＿＿＿＿＿＿＿＿＿＿＿
4. 電話、手紙（知らせます）＿＿＿＿＿＿＿＿＿＿＿＿＿＿
5. 赤いの、黄色いの（買います）＿＿＿＿＿＿＿＿＿＿＿＿

練習

文の練習

1 例 （パンを食べました）
→ A：パンを何枚食べましたか。
　B：2枚食べました。

1. （くつがあります） →＿＿＿＿＿＿＿＿＿＿＿＿＿＿＿
2. （ビールを飲みました） →＿＿＿＿＿＿＿＿＿＿＿＿＿＿
3. （犬がいます） →＿＿＿＿＿＿＿＿＿＿＿＿＿＿＿＿
4. （バナナを買いました） →＿＿＿＿＿＿＿＿＿＿＿＿＿＿
5. （学生がいます） →＿＿＿＿＿＿＿＿＿＿＿＿＿＿＿＿

2
A　例　たくさん買いましたか。
　　　→いいえ、あまり買いませんでした。少し買いました。

1. たくさん飲みましたか。　→＿＿＿＿＿＿＿＿＿＿＿＿＿＿＿
2. お金がたくさんありますか。　→＿＿＿＿＿＿＿＿＿＿＿＿
3. 昨日たくさん勉強しましたか。　→＿＿＿＿＿＿＿＿＿＿＿

B　例　デパートへよく行きますか。
　　　→いいえ、あまり行きません。ときどき行きます。

1. テレビをよく見ますか。　→＿＿＿＿＿＿＿＿＿＿＿＿＿＿
2. 手紙をよく書きますか。　→＿＿＿＿＿＿＿＿＿＿＿＿＿＿
3. 電話をよくかけますか。　→＿＿＿＿＿＿＿＿＿＿＿＿＿＿

3 例 りんご（1） → りんごをひとつください。
　1．コーヒー（2）　→ _____
　2．サンドイッチ（1）　→ _____
　3．ハンバーガー（3）　→ _____
　4．このボールペン（5）　→ _____
　5．そのノート（4）　→ _____
　6．80円切手（10）　→ _____

4 例 ビール（1）→ビールを1本ください。

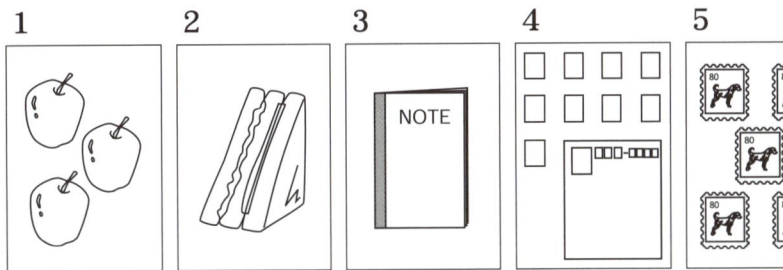

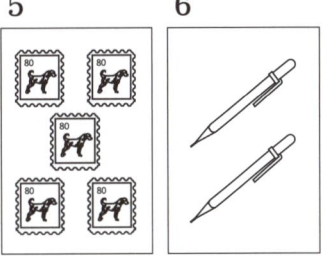

1　2　3　4　5　6

　1．_____
　2．_____
　3．_____
　4．_____
　5．_____
　6．_____
　7．りんご（2）、みかん（3）
　　→ _____
　8．このノート（2）、そのボールペン（3）
　　→ _____

ことば

第14課

電話します　（写真を）とります　神社

おなか　おなかが痛い　（お）寺

散歩します　結婚します

- 北海道
- ～だけ
- いかがですか
- どうぞ
- いいえ、けっこうです
- それは、いけませんね

会話

1. コウ：リンさんはどこへ行きたいですか。
   リン：私は京都へ行きたいです。
   コウ：あ、京都ですか。
   リン：ええ。古いお寺や神社を見たいです。

2. パク：ヤンさん、おいしいケーキがありますが、いかがですか。
   ヤン：いいえ、けっこうです。
   パク：どうしましたか。
   ヤン：おなかが痛いですから、何も食べたくないです。
   パク：それはいけませんね。薬は、ありますか。
   ヤン：はい、飲みました。
   パク：そうですか。じゃ、お茶だけどうぞ。
   ヤン：ありがとうございます。

文の形

1 私は　　　　　　　　　　　たいです。

| 私は | おおさか　へ
青木先生　に
映画　を
青い　くつ　いっそく
大きい　かばん　を　ひとつ | 散歩し
行き
会い
見
買い
買い | たいです。 |

| あなたは | りんご　を　いくつ
どんな　車　を
何　を | 買い | たいですか。 |

2 私は　　　　　　　　　　　たくないです。

| 私は | うち　へ
サリさん　に
写真　を
あまい　ジュース
何も
どこも／どこへも
だれにも | 結婚し
帰り
話し
電話
との　飲み
飲み
会い
行き | たくないです。 |

第14課

練 習

形の練習

CD 28

1. **例** 私、りんご、食べます → <u>私はりんごを食べたいです。</u>

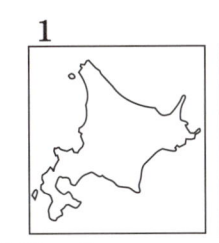

    1. 私、北海道、行きます →＿＿＿＿＿＿＿＿＿＿＿＿＿＿＿
    2. 私、黒いくつ、買います →＿＿＿＿＿＿＿＿＿＿＿＿＿＿＿
    3. 私、コーヒー、飲みます →＿＿＿＿＿＿＿＿＿＿＿＿＿＿＿
    4. 私、友だち、会います →＿＿＿＿＿＿＿＿＿＿＿＿＿＿＿

CD 29

2. **例** 私、りんご、食べます× → <u>私はりんごを食べたくないです。</u>

    1. 私、パーティー、行きます× →＿＿＿＿＿＿＿＿＿＿＿＿＿＿＿
    2. 私、お酒、飲みます× →＿＿＿＿＿＿＿＿＿＿＿＿＿＿＿
    3. 私、テレビ、見ます× →＿＿＿＿＿＿＿＿＿＿＿＿＿＿＿
    4. 私、仕事、します× →＿＿＿＿＿＿＿＿＿＿＿＿＿＿＿

文の練習

1. **例** あなたは京都へ行きたいですか。
    → <u>はい、行きたいです。</u>

    1. あなたは映画を見たいですか。 →＿＿＿＿＿＿＿＿＿＿＿＿
    2. あなたはたばこを吸いたいですか。 →＿＿＿＿＿＿＿＿＿＿＿＿
    3. あなたはお酒を飲みたいですか。 →＿＿＿＿＿＿＿＿＿＿＿＿
    4. あなたはくつを買いたいですか。 →＿＿＿＿＿＿＿＿＿＿＿＿

2. **例** あなたは何を食べたいですか。
    → <u>私はりんごを食べたいです。</u>

    1. あなたはどこへ行きたいですか。 →＿＿＿＿＿＿＿＿＿＿＿＿
    2. あなたは何を飲みたいですか。 →＿＿＿＿＿＿＿＿＿＿＿＿
    3. あなたは何をしたいですか。 →＿＿＿＿＿＿＿＿＿＿＿＿
    4. あなたは今だれに会いたいですか。 →＿＿＿＿＿＿＿＿＿＿＿＿

第14課

ことば

第15課

- ニュース
- ステーキ
- 花(か)びん
- 人形(にんぎょう)
- スパゲッティー
- 遊(あそ)びます
- お金(かね)を出(だ)します
- シャワーを浴(あ)びます
- 迎(むか)えます

■ほかに（も）　■今度(こんど)の（日曜日(にちようび)）　■（人(ひと)）と

会話

1. パク：今度の日曜日、映画を見に行きます。ヤンさんもいっしょにどうですか。
   ヤン：いいですね。
   パク：じゃ、1時に新宿で会いましょう。
   ヤン：ほかにもだれか行きますか。
   パク：ええ、サリさんとキムさんが行きます。

2. ピエール：ヤンさんはこれからどうしますか。
   ヤン：私は渋谷へ行きます。
   ピエール：渋谷へ何をしに行きますか。
   ヤン：来週国へ帰りますから、おみやげを買いに行きます。
   ピエール：そうですか。何を買いますか。
   ヤン：人形と花びんを買います。ピエールさんは。
   ピエール：私は会社へアルバイトに行きます。それから、友だちと食事に行きます。

文の形

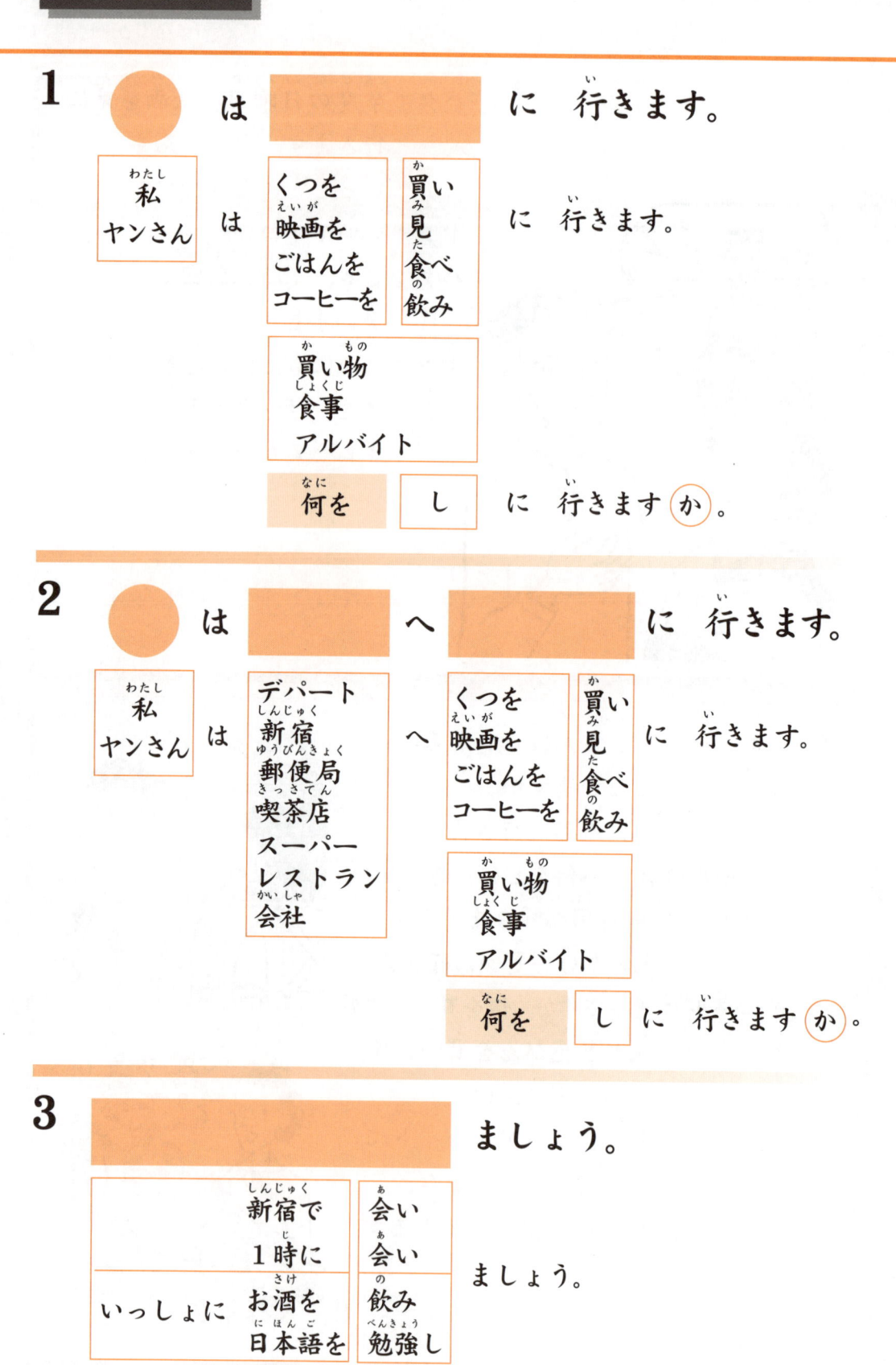

1 ○ は ▭ に 行きます。

私	は	くつを 買い	に 行きます。
ヤンさん		映画を 見	
		ごはんを 食べ	
		コーヒーを 飲み	

買い物
食事
アルバイト

何を し に 行きます か 。

2 ○ は ▭ へ ▭ に 行きます。

私	は	デパート	へ	くつを 買い	に 行きます。
ヤンさん		新宿		映画を 見	
		郵便局		ごはんを 食べ	
		喫茶店		コーヒーを 飲み	
		スーパー			
		レストラン			
		会社			

買い物
食事
アルバイト

何を し に 行きます か 。

3 ▭ ましょう。

新宿で	会い
1時に	会い
いっしょに お酒を	飲み
日本語を	勉強し

ましょう。

文の形

4　☐か

だれ	か		いますか。 来ましたか。
どこ	か	へ で	行きますか。 お茶を飲みましょう。
何	か		ありますか。 食べましょう。

👩 だれかいますか。→ 👦 はい、います。

👩 だれがいますか。→ 👦 ヤンさんがいます。

👩 だれかいますか。→ 👦 いいえ、だれもいません。

👩 何か食べましょう。→ 👦 ええ、食べましょう。

5　☐。それから☐。

| 映画を見ました
ステーキを食べました
ごはんを食べました
銀行へ行きました | 。それから | 食事をしました
コーヒーも飲みました
テレビでニュースを見ました
スーパーへ買い物に行きました | 。 |

第15課

練習

形の練習

1　例　くつを買います　→　<u>くつを買いに行きます。</u>
　　1．スパゲッティーを食べます　→＿＿＿＿＿＿＿＿＿＿＿＿＿＿＿＿
　　2．テニスをします　→＿＿＿＿＿＿＿＿＿＿＿＿＿＿＿＿
　　3．音楽を聞きます　→＿＿＿＿＿＿＿＿＿＿＿＿＿＿＿＿
　　4．友だちを迎えます　→＿＿＿＿＿＿＿＿＿＿＿＿＿＿＿＿
　　5．手紙を出します　→＿＿＿＿＿＿＿＿＿＿＿＿＿＿＿＿

2　例　新宿へ行きます／カメラを買います
　　　　→　<u>新宿へカメラを買いに行きます。</u>
　　1．デパートへ行きます／かばんを買います　→＿＿＿＿＿＿＿＿＿＿
　　2．アメリカへ行きました／英語を勉強します　→＿＿＿＿＿＿＿＿＿＿
　　3．京都へ行きます／遊びます　→＿＿＿＿＿＿＿＿＿＿
　　4．銀行へ行きました／お金を出します　→＿＿＿＿＿＿＿＿＿＿

3　例　行きます　→　<u>行きましょう。</u>
　　1．食べます　→＿＿＿＿＿＿＿＿＿＿＿＿＿＿
　　2．飲みます　→＿＿＿＿＿＿＿＿＿＿＿＿＿＿
　　3．帰ります　→＿＿＿＿＿＿＿＿＿＿＿＿＿＿
　　4．会います　→＿＿＿＿＿＿＿＿＿＿＿＿＿＿

文の練習

1　例　どこへくつを買いに行きますか。（デパート）
　　　　→　<u>デパートへくつを買いに行きます。</u>
　　1．どこへ映画を見に行きますか。（新宿）　→＿＿＿＿＿＿＿＿＿＿
　　2．いつもどこへ肉や野菜を買いに行きますか。（スーパー）
　　　　→＿＿＿＿＿＿＿＿＿＿＿＿＿＿＿＿＿＿＿＿
　　3．だれと食事に行きますか。（友だち）　→＿＿＿＿＿＿＿＿＿＿
　　4．どこへアルバイトに行きますか。（上野）　→＿＿＿＿＿＿＿＿＿＿
　　5．いつ買い物に行きますか。（日曜日）　→＿＿＿＿＿＿＿＿＿＿
　　6．何を食べに行きますか。（すし）　→＿＿＿＿＿＿＿＿＿＿

第15課

練習

2 例 新宿へ何をしに行きましたか。
→ 映画を見に行きました。

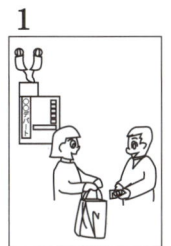

1. デパートへ何をしに行きましたか。 →＿＿＿＿＿＿＿＿＿＿＿＿＿＿
2. 銀行へ何をしに行きましたか。 →＿＿＿＿＿＿＿＿＿＿＿＿＿＿
3. 上野へ何をしに行きましたか。 →＿＿＿＿＿＿＿＿＿＿＿＿＿＿
4. 銀座へ何をしに行きましたか。 →＿＿＿＿＿＿＿＿＿＿＿＿＿＿
5. 山へ何をしに行きましたか。 →＿＿＿＿＿＿＿＿＿＿＿＿＿＿

3 例 うちへ帰ります → シャワーを浴びます。
　　　＝うちへ帰ります。それからシャワーを浴びます。

1. ひらがなを勉強します → カタカナを勉強します。
＝＿＿＿＿＿＿＿＿＿＿＿＿＿＿＿＿＿＿＿＿＿＿＿＿＿＿＿＿
2. ステーキを食べます → コーヒーを飲みます。
＝＿＿＿＿＿＿＿＿＿＿＿＿＿＿＿＿＿＿＿＿＿＿＿＿＿＿＿＿
3. 銀行へお金を出しに行きます → デパートで買い物をします。
＝＿＿＿＿＿＿＿＿＿＿＿＿＿＿＿＿＿＿＿＿＿＿＿＿＿＿＿＿

4 例 だれかいますか。（はい、サリさん）
　　　→ はい、います。サリさんがいます。
　　　（いいえ）→ いいえ、だれもいません。

1. 昨日、どこかへ行きましたか。（はい、デパート）
→＿＿＿＿＿＿＿＿＿＿＿＿＿＿＿＿＿＿＿＿＿＿＿＿＿＿＿＿
2. 何か買いましたか。（いいえ）
→＿＿＿＿＿＿＿＿＿＿＿＿＿＿＿＿＿＿＿＿＿＿＿＿＿＿＿＿
3. 今日、だれか来ますか。（はい、ヤンさん）
→＿＿＿＿＿＿＿＿＿＿＿＿＿＿＿＿＿＿＿＿＿＿＿＿＿＿＿＿

ことば

第16課

- 午前中（ごぜんちゅう）
- 立（た）ちます
- 歩（ある）きます
- 借（か）ります
- 貸（か）します
- 待（ま）ちます
- 死（し）にます
- 起（お）きます
- 開（あ）けます
- 閉（し）めます
- 急（いそ）ぎます
- 呼（よ）びます
- 電話（でんわ）をかけます

■言（い）います　　■あとで　　■早（はや）く

会話

1. 学生1：すみません。辞書を貸してください。
   学生2：はい、どうぞ。

2. コウ：ヤンさん、行きましょう。
   ヤン：今、行きますから、ちょっと待ってください。

3. 学生1　　：すみません。シンさん、いますか。
   事務の人：ええ、います。今、電話をかけています。
   学生1　　：そうですか。じゃ、あとで来ます。

4. 学生1：ヤンさんはどこですか。
   学生2：あそこでコーヒーを飲んでいます。
   学生1：サリさんは。
   学生2：女の人と話しています。
   学生1：あそこで男の人がテレビを見ていますね。
   　　　　あの人はだれですか。
   学生2：あの人はブラウンさんです。

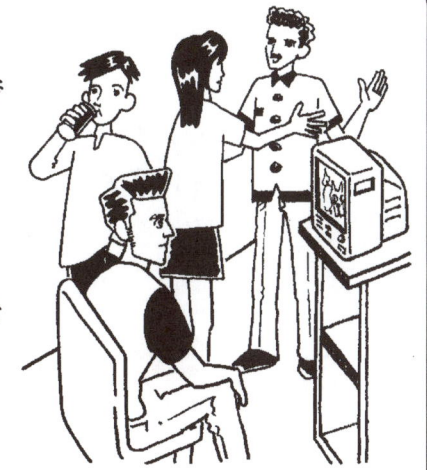

5. 山下：リンさんは毎日何をしていますか。
   リン：午前中、日本語アカデミーで日本語を勉強しています。
   山下：午後は、何をしていますか。
   リン：午後は、会社でアルバイトをしています。

第16課

99

文の形

て形

動詞Ⅰグループ
書(か)きます	→	書(か)いて
急(いそ)ぎます	→	急(いそ)いで
話(はな)します	→	話(はな)して
立(た)ちます	→	立(た)って
死(し)にます	→	死(し)んで
呼(よ)びます	→	呼(よ)んで
読(よ)みます	→	読(よ)んで
とります	→	とって
言(い)います	→	言(い)って

動詞Ⅱグループ
見(み)ます	→	見(み)て
食(た)べます	→	食(た)べて

動詞Ⅲグループ
来(き)ます	→	来(き)て
します	→	して

1. ＿＿＿＿て ください。

ペンを	貸(か)して
教科書(きょうかしょ)を	見(み)て
早(はや)く	来(き)て

　　　ください。

2. ● は ＿＿＿＿て います。

私(わたし)	本(ほん)を	読(よ)んで
キムさん は	テレビを	見(み)て
リンさん	勉強(べんきょう)を	して

　　　います。

練習

形の練習

1

例 書きます	書いて	待ちます		起きます	
聞きます		行きます		借ります	
歩きます		作ります		開けます	
急ぎます		とります		食べます	
話します		遊びます		来ます	
言います		飲みます		します	
立ちます		買います		練習します	

2 例 名前を書きます。 → 名前を書いてください。

1. 少し待ちます。 →_____
2. たくさん食べます。 →_____
3. うちで練習します。 →_____
4. 早く来ます。 →_____
5. これを見ます。 →_____
6. 日本語で話します。 →_____
7. 会議の準備をします。 →_____
8. ドアを閉めます。 →_____
9. タクシーを呼びます。 →_____
10. 5時に起きます。 →_____
11. この薬を飲みます。 →_____
12. 切符を買います。 →_____
13. 肉を切ります。 →_____
14. テープを聞きます。 →_____
15. 時間がありませんから、急ぎます。→_____

練習

文の練習

1 例

A：ブラウンさんは今何をしていますか。
B：テニスをしています。

ブラウンさん
（テニスをします）

1. リンさん（テープを聞きます）
2. パクさん（絵をかきます）
3. 田中さん（料理を作ります）
4. 青木先生（本を読みます）

1. A：＿＿＿＿＿＿＿＿＿＿＿＿＿＿＿＿＿＿
   B：＿＿＿＿＿＿＿＿＿＿＿＿＿＿＿＿＿＿
2. A：＿＿＿＿＿＿＿＿＿＿＿＿＿＿＿＿＿＿
   B：＿＿＿＿＿＿＿＿＿＿＿＿＿＿＿＿＿＿
3. A：＿＿＿＿＿＿＿＿＿＿＿＿＿＿＿＿＿＿
   B：＿＿＿＿＿＿＿＿＿＿＿＿＿＿＿＿＿＿
4. A：＿＿＿＿＿＿＿＿＿＿＿＿＿＿＿＿＿＿
   B：＿＿＿＿＿＿＿＿＿＿＿＿＿＿＿＿＿＿

2 例 パクさんはごはんを食べます。
→ パクさんはごはんを食べていますか。
　　はい、食べています。／いいえ、食べていません。

1. ヤンさんはコーヒーを飲みます。 →＿＿＿＿＿＿＿＿＿＿＿＿
　　　　　　　　　　　　　　　　　　→＿＿＿＿＿＿＿＿＿＿＿＿
2. サリさんは日本語を勉強します。 →＿＿＿＿＿＿＿＿＿＿＿＿
　　　　　　　　　　　　　　　　　　→＿＿＿＿＿＿＿＿＿＿＿＿
3. ピエールさんはテレビを見ます。 →＿＿＿＿＿＿＿＿＿＿＿＿
　　　　　　　　　　　　　　　　　　→＿＿＿＿＿＿＿＿＿＿＿＿
4. コウさんは友だちを待ちます。　 →＿＿＿＿＿＿＿＿＿＿＿＿
　　　　　　　　　　　　　　　　　　→＿＿＿＿＿＿＿＿＿＿＿＿

3 例

A：絵を書いてください。
B：はい、書きます。

絵

1. あのビル
2. ドア
3. こちら
4. ここ
5. 明日の朝

1. A：＿＿＿＿＿＿＿＿＿＿＿＿＿＿＿＿＿＿＿
   B：はい、行きます。
2. A：＿＿＿＿＿＿＿＿＿＿＿＿＿＿＿＿＿＿＿
   B：はい、開けます。
3. A：＿＿＿＿＿＿＿＿＿＿＿＿＿＿＿＿＿＿＿
   B：はい、来ます。
4. A：＿＿＿＿＿＿＿＿＿＿＿＿＿＿＿＿＿＿＿
   B：はい、待ちます。
5. A：＿＿＿＿＿＿＿＿＿＿＿＿＿＿＿＿＿＿＿
   B：はい、かけます。

ことば

第17課

- ぼうし
- かぶります
- スニーカー
- はきます
- スカート
- 服（洋服）／ふく・ようふく
- ズボン
- セーター
- ネクタイ
- 着ます／きます
- 父／ちち
- 母／はは
- 両親／りょうしん
- めがね
- めがねをかけます
- 本屋／ほんや

■緑色（みどりいろ） ■形（かたち） ■色（いろ） ■朝ご飯（あさごはん） ■（渋谷）区（しぶや く）
■独身です（どくしん） ■売ります（うります） ■住んでいます（すんで）
■持っています（もって） ■わかりました ■ご〜（ご両親／りょうしん）

会話

1. シン：サリさんは、どこに住んでいますか。
サリ：新宿です。
シン：ご両親は、どこに住んでいますか。
サリ：両親はインドのニューデリーに住んでいます。

2. シン：パクさんは結婚していますか。
パク：いいえ、独身です。シンさんは？
シン：私も結婚していません。

3. 中田：リンさんはどの人ですか。
サリ：この人です。めがねをかけています。青いセーターを着ています。
中田：ああ、わかりました。この人は？大きいぼうしをかぶっていますね。
サリ：その人はシンさんです。

4. コウ：ブラウンさん、いいくつをはいていますね。
ブラウン：ああ、これは昨日買いました。
コウ：色も形もいいですね。
ブラウン：ありがとう。

第17課

文の形

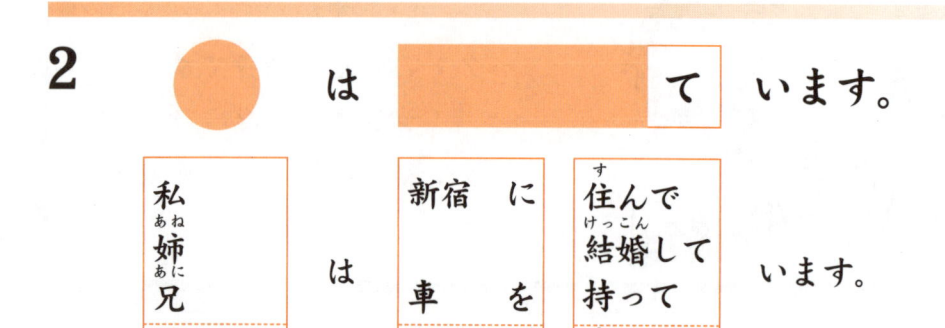

1 ○ は ▬▬ を ▬て います。

私		ぼうし		かぶって	
サリさん	は	めがね	を	かけて	います。
あの人		緑色の服		着て	
青木先生		新しいくつ		はいて	

2 ○ は ▬▬▬ て います。

私		新宿	に	住んで	
姉	は			結婚して	います。
兄		車	を	持って	
辞書		本屋	で	売って	

父　　　　母

兄　姉　私　妹　弟

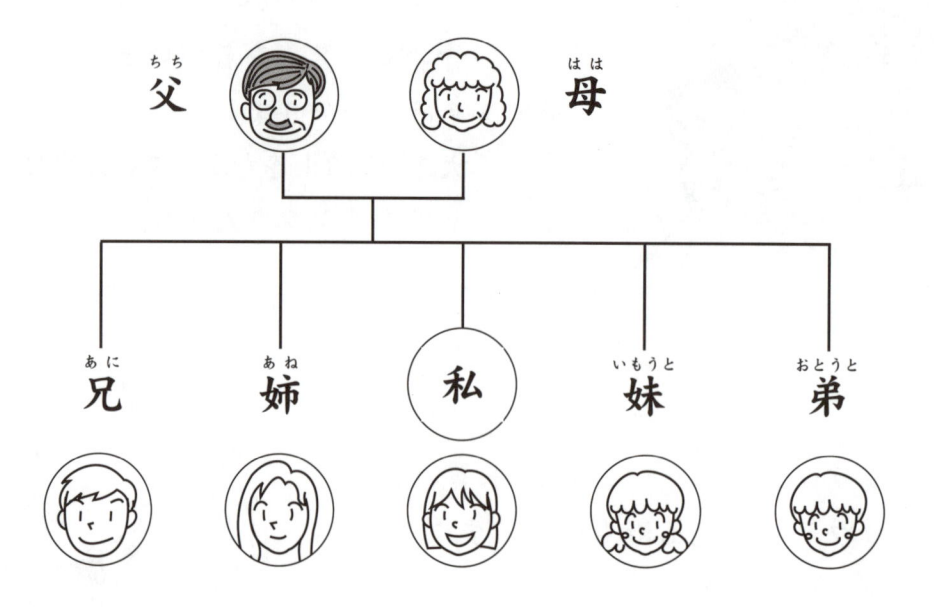

練習

形の練習

例 ぼうしをかぶります → ぼうしをかぶっています

A 1．めがねをかけます →_____
　 2．スニーカーをはきます→_____
　 3．ネクタイをします →_____
　 4．セーターを着ます →_____
　 5．かばんを持ちます→_____
　 6．ズボンをはきます →_____
　 7．スカートをはきます →_____
B 1．結婚します →_____
　 2．住みます →_____
　 3．売ります →_____

文の練習

1 例　リンさんはぼうしをかぶっています。

　　リンさん　1. 山田さん　2. サリさん　3. 森先生　4. ジョンさん　5. キムさん

1．_____
2．_____
3．_____
4．_____
5．_____

CD35

2　1．A：森先生は独身ですか。
　　　B：いいえ、_____
　　2．A：青木先生は結婚していますか。
　　　B：はい、_____
　　3．パク：ブラウンさんはどこに_____か。
　　　ブラウン：私は渋谷区に_____
　　　　　　あなたはどこに_____か。
　　　パク：私は新宿区に住んでいます。

第17課

107

ことば

第18課

寝（ね）ます
出（で）ます
出（で）かけます
おふろに入（はい）ります
洗（あら）います
乗（の）ります
日記（にっき）
切手（きって）をはります
降（お）ります

- 池袋（いけぶくろ）
- 返事（へんじ）
- 着（つ）きます
- （〜時）ごろ
- くらい／ぐらい
- お先（さき）に
- 失礼（しつれい）します

会話

1. 学生1：毎朝、何時に起きますか。
   学生2：7時です。
   学生1：それから、何をしますか。
   学生2：顔を洗って、朝ご飯を食べて
   　　　　学校へ来ます。

2. 学生1：夜、何をしますか。
   学生2：シャワーを浴びて、
   　　　　少しビールを飲んで、
   　　　　音楽を聞いて、寝ます。

3. 川田　：この間、先生から手紙が
   　　　　来ましたね。
   みち子：はい。
   川田　：返事を出しましたか。
   みち子：ええ、さっき郵便局へ行って、
   　　　　切手をはって、出しました。

4. 中田：サリさん、帰りましょう。
   サリ：私はこの仕事が終わって
   　　　から帰ります。
   　　　どうぞ、お先に。
   中田：そうですか。じゃ、
   　　　お先に失礼します。

文の形

1 ● は ▢て、▢て、………。

| 私 ヤンさん コウさん パクさん | は | 6時に起きて 雑誌を見て 新宿へ行って 切手を買って | 、 | ご飯を食べて 日記を書いて 服を買って 手紙にはって | 、 | 学校へ来ます。 寝ます。 帰りました。 出しました。 |

2 ● は ▢て から ……………。

| 私 キムさん ピエールさん ブラウンさん | は | 朝ご飯を食べて 買い物をして 日記を書いて 仕事が終わって | から | 学校へ行きます。 家へ帰ります。 寝ます。 パーティーへ行きます。 |

練習

形の練習

1　**例**　起きます→食べます→出かけます
　　　　　→　起きて、食べて、出かけます。

1. 乗ります→降ります→歩きます　→_____
2. 食べます→飲みます→出かけます　→_____
3. 読みます→書きます→話します　→_____
4. 見ます→聞きます→言います　→_____
5. 行きます→会います→帰ります　→_____
6. 作ります→食べます→飲みます→寝ます　→_____

2　**例**　朝ご飯を食べます→学校へ行きます
　　　　　→　朝ご飯を食べてから、学校へ行きます

1. 買い物をします→うちへ帰ります
　→_____
2. 電話をかけます→先生の家へ行きます
　→_____
3. 日記を書きます→寝ます
　→_____
4. 仕事が終わります→ビールを飲みます
　→_____
5. 勉強をします→散歩に行きます
　→_____

第18課

練習

文の練習

1 **例** 7時に起きます→朝ご飯を食べます→学校へ行きます
　　　＝<u>7時に起きて、朝ご飯を食べて、学校へ行きます</u>。
　　　＝<u>7時に起きて、朝ご飯を食べてから、学校へ行きます</u>。

1. 新聞を読みます→コーヒーを飲みます→日本語を勉強します
   ＝_____
   ＝_____

2. 手紙を書きます→おふろに入ります→テレビを見ます
   ＝_____
   ＝_____

3. 新宿で電車に乗ります→池袋で降ります→10分ぐらい歩きます。
   ＝_____
   ＝_____

4. 7時半にうちを出ます→9時に学校に着きます→少し休みます。
   ＝_____
   ＝_____

5. 1時ごろ学校を出ます→スーパーで買い物をします→うちへ帰ります
   ＝_____
   ＝_____

練習

CD 37　2　**例**　1→2→3
　　　　　　＝7時に起きて、朝ご飯を食べて、学校へ行きます。

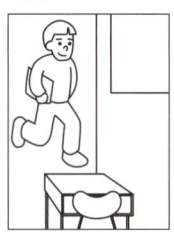

1. 2→3→4　→_____
2. 1→7→2　→_____
3. 5→6→8　→_____
4. 3→4→6　→_____
5. 6→7→8　→_____
6. 7→8→9　→_____

第18課

ことば

第19課

かたい　　　やわらかい

汚い(きたな)　　　アイスクリーム

湖(みずうみ)

- ■ ところ　　■ まじめ（な）　　■ じょうぶ（な）
- ■ そうですね

会話

1. 中田：リンさんは、どんな人ですか。
   サリ：そうですね。親切で、やさしい人です。
   中田：そうですか。若いですか。
   サリ：ええ、若くて、きれいです。

2. コウ：これはパクさんのかばんですか。
   パク：いいえ、私のかばんは、黒くて、大きいのです。

3. 学生1：きれいな店ですね。
   学生2：ええ、この店は、安くて、おいしいです。

4. 学生1：ここはいいところですね。
   学生2：ええ、静かで、便利で、ほんとうにいいところです。

文の形

形容詞の **て形**

い形容詞	な形容詞
重（おも）いです → 重くて….	静（しず）かです → 静か で….
白（しろ）いです → 白くて….	きれいです → きれい で….
	にぎやかです → にぎやか で….
いいです → よくて….	ひまです → ひま で….

1. ● は □て、□ です。

このカメラ 私の部屋（へや） 森先生 この町（まち） ヤンさん 新幹線（しんかんせん） ピエールさん あの湖（みずうみ）	は	小さくて 古（ふる）くて きれいで 有名（ゆうめい）で 若（わか）くて 速（はや）く ハンサムで 静かで	、	軽（かる）い せまい 親切（しんせつ） にぎやか 元気（げんき） 便利（べんり） やさしい きれい	です。

2. ● は □て 、いいです。

この辞書（じしょ） ここ コウさんのカメラ	は	小さくて 静かで 新しくて	、いいです。

練 習

形の練習

1 例 大きいです → <u>大きくて</u>
    静(しず)かです → <u>静かで</u>

　1. 小さいです →＿＿＿＿＿＿　6. 若いです →＿＿＿＿＿＿
　2. 寒(さむ)いです →＿＿＿＿＿＿　7. きれいです →＿＿＿＿＿＿
　3. 安いです →＿＿＿＿＿＿　8. 親切です →＿＿＿＿＿＿
　4. やわらかいです →＿＿＿＿＿＿　9. にぎやかです →＿＿＿＿＿＿
　5. 長いです →＿＿＿＿＿＿　10. 簡(かんたん)単です →＿＿＿＿＿＿

2 例 若いです＋きれいです → <u>若くて、きれいです。</u>

　1. 新しいです＋きれいです →＿＿＿＿＿＿＿＿＿＿＿＿＿＿
　　 きれいです＋新しいです →＿＿＿＿＿＿＿＿＿＿＿＿＿＿
　2. 古いです＋汚(きたな)いです →＿＿＿＿＿＿＿＿＿＿＿＿＿＿
　　 汚いです＋古いです →＿＿＿＿＿＿＿＿＿＿＿＿＿＿
　3. 安いです＋おいしいです →＿＿＿＿＿＿＿＿＿＿＿＿＿＿
　　 おいしいです＋安いです →＿＿＿＿＿＿＿＿＿＿＿＿＿＿
　4. 簡単です＋おもしろいです →＿＿＿＿＿＿＿＿＿＿＿＿＿＿
　　 おもしろいです＋簡単です →＿＿＿＿＿＿＿＿＿＿＿＿＿＿
　5. やさしいです＋きれいです →＿＿＿＿＿＿＿＿＿＿＿＿＿＿
　　 きれいです＋やさしいです →＿＿＿＿＿＿＿＿＿＿＿＿＿＿
　6. 背(せ)が高いです＋ハンサムです →＿＿＿＿＿＿＿＿＿＿＿＿＿＿
　　 ハンサムです＋背が高いです →＿＿＿＿＿＿＿＿＿＿＿＿＿＿

3 例 安いです → <u>安くて、いいです。</u>

　1. おもしろいです →＿＿＿＿＿＿＿＿＿＿＿＿＿＿
　2. きれいです →＿＿＿＿＿＿＿＿＿＿＿＿＿＿
　3. 広(ひろ)いです →＿＿＿＿＿＿＿＿＿＿＿＿＿＿
　4. 暖(あたた)かいです →＿＿＿＿＿＿＿＿＿＿＿＿＿＿
　5. 元気です →＿＿＿＿＿＿＿＿＿＿＿＿＿＿
　6. 軽いです →＿＿＿＿＿＿＿＿＿＿＿＿＿＿

第19課

練 習

文の練習

CD 39　1　例　この人は、背が高くて、ハンサムです。

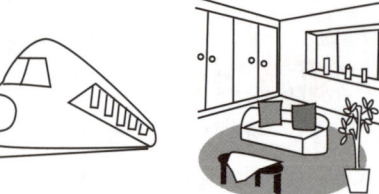

1.　　2.　　3.　　4.　　5.

若い	寒い	冷たい	おいしい	安い	かたい
汚い	あまい	広い	まずい	速い	やわらかい
ハンサム	便利	きれい	背が高い	目が大きい	

1. _____
2. _____
3. _____
4. _____
5. _____

練習

2 例 あのレストラン（どう）／安いです／おいしいです
　　A：あのレストランはどうですか。
　　B：安くて、おいしいですよ。

1. あのレストラン（どう）　／　高いです　／　まずいです
　　A：_____
　　B：_____
2. 山下先生（どんな）　／　若いです　／　親切です
　　A：_____
　　B：_____
3. あなたのアパート（どう）　／　せまいです　／　汚いです
　　A：_____
　　B：_____
4. あなたの町（どんな）　／　にぎやかです　／　便利です
　　A：_____
　　B：_____
5. キムさん（どんな）　／　頭がいいです　／　まじめです
　　A：_____
　　B：_____

3 例　A：どんな車ですか。（大きいです）
　　B：大きくて、いい車ですよ。
　　A：そうですか。

1. 　A：どんな人ですか。（やさしいです）
　B：_____ですよ。
　A：そうですか。
2. 　A：どんなところですか。（きれいです）
　B：_____ですよ。
　A：そうですか。
3. 　A：どんな家ですか。（広いです）
　B：_____ですよ。
　A：そうですか。

ことば

第20課

on（つけます） off（消します）

（テレビを）つけます／消します

だめ（です）

「私の国」ヤン

さくぶん
作文

はら
払います

ペン

けしゴム

ロビー

L10 試験　名前＿＿＿
1. 漢字を書きなさい。
   しずか → （　）か
   せんせい→ （　　）
   おんがく→ （　　）

しけん
テスト／試験

■エアコン　■もう　■まだ　■もうすぐ

会話

1. 男の人：すみません。たばこを吸ってもいいですか。
   女の人：ええ、どうぞ。

   男の人：すみません。このペンを借りてもいいですか。
   女の人：ええ、どうぞ。

2. 青木先生：これから試験をします。
   コウ　　：先生、辞書を見てもいいですか。
   青木先生：いいえ、辞書もノートも見てはいけません。
   コウ　　：ボールペンで書いてもいいですか。
   青木先生：いいえ、だめです。

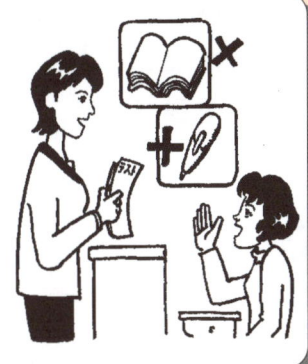

3. パク　　：もう昼ご飯を食べましたか。
   ブラウン：いいえ、まだです。
   　　　　　パクさんは？
   パク　　：私は、もう食べました。

4. コウ　　：もう帰ってもいいですか。
   青木先生：いいえ、だめです。
   　　　　　まだ帰ってはいけません。

文の形

1 ［　　　］て もいいです。

| このペンを
辞書を
たばこを
中国語で | 使って
見て
吸って
話して | もいいです。 |

2 ［　　　］て はいけません。

| このペンを
辞書を
たばこを
中国語で | 使って
見て
吸って
話して | はいけません。 |

3 ［　　　］て もいいですか。

| このペンを
辞書を
たばこを
中国語で | 使って
見て
吸って
話して | もいいですか。 |

→ はい、どうぞ。
→ いいえ、〜てはいけません。

4 もう／まだ

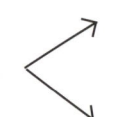

もう ご飯を食べましたか。
→ ［食べました］
　　はい、もう 食べました。
→ ［食べませんでした］
　　いいえ、まだ 食べていません。

第20課

練習

形の練習

例　使います　○→　使ってもいいです。
　　　　　　　×→　使ってはいけません。

1. 話します　○→＿＿＿＿＿＿＿＿　×→＿＿＿＿＿＿＿＿
2. 書きます　○→＿＿＿＿＿＿＿＿　×→＿＿＿＿＿＿＿＿
3. とります　○→＿＿＿＿＿＿＿＿　×→＿＿＿＿＿＿＿＿
4. 見ます　　○→＿＿＿＿＿＿＿＿　×→＿＿＿＿＿＿＿＿
5. 帰ります　○→＿＿＿＿＿＿＿＿　×→＿＿＿＿＿＿＿＿
6. 来ます　　○→＿＿＿＿＿＿＿＿　×→＿＿＿＿＿＿＿＿

文の練習

CD 41

1　例　ここでたばこを吸います。
　　　　A：ここでたばこを吸ってもいいですか。
　　　　B：いいえ、吸ってはいけません。

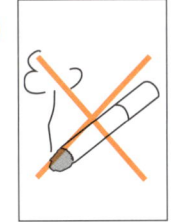

1. 中国語で話します。
　　A：＿＿＿＿＿＿＿＿＿＿＿＿
　　B：＿＿＿＿＿＿＿＿＿＿＿＿
2. 辞書を見ます。
　　A：＿＿＿＿＿＿＿＿＿＿＿＿
　　B：＿＿＿＿＿＿＿＿＿＿＿＿
3. うちへ帰ります。
　　A：＿＿＿＿＿＿＿＿＿＿＿＿
　　B：＿＿＿＿＿＿＿＿＿＿＿＿
4. 教室でビールを飲みます。
　　A：＿＿＿＿＿＿＿＿＿＿＿＿
　　B：＿＿＿＿＿＿＿＿＿＿＿＿
5. 明日学校を休みます。
　　A：＿＿＿＿＿＿＿＿＿＿＿＿
　　B：＿＿＿＿＿＿＿＿＿＿＿＿

練習

文の練習

2　例　ここで、写真をとってもいいですか。
　　　　　　（はい）　→はい、とってもいいです。
　　　　　　（いいえ）→いいえ、とってはいけません。
　1．テレビをつけてもいいですか。
　　　　（はい）　→＿＿＿＿＿＿＿＿＿＿＿＿＿＿＿＿＿＿＿＿
　　　　（いいえ）→＿＿＿＿＿＿＿＿＿＿＿＿＿＿＿＿＿＿＿＿
　2．教室でお酒を飲んでもいいですか。
　　　　（はい）　→＿＿＿＿＿＿＿＿＿＿＿＿＿＿＿＿＿＿＿＿
　　　　（いいえ）→＿＿＿＿＿＿＿＿＿＿＿＿＿＿＿＿＿＿＿＿
　3．帰ってもいいですか。
　　　　（はい）　→＿＿＿＿＿＿＿＿＿＿＿＿＿＿＿＿＿＿＿＿
　　　　（いいえ）→＿＿＿＿＿＿＿＿＿＿＿＿＿＿＿＿＿＿＿＿
　4．エアコンを消してもいいですか。
　　　　（はい）　→＿＿＿＿＿＿＿＿＿＿＿＿＿＿＿＿＿＿＿＿
　　　　（いいえ）→＿＿＿＿＿＿＿＿＿＿＿＿＿＿＿＿＿＿＿＿
　5．窓を開けてもいいですか。
　　　　（はい）　→＿＿＿＿＿＿＿＿＿＿＿＿＿＿＿＿＿＿＿＿
　　　　（いいえ）→＿＿＿＿＿＿＿＿＿＿＿＿＿＿＿＿＿＿＿＿

3　例　もうご飯を食べましたか。［これから］
　　　　　　（はい）　→はい、もう食べました。
　　　　　　（いいえ）→いいえ、まだ食べていません。これから食べます。
　1．もう作文を書きましたか。［今晩］
　　　　（はい）　→＿＿＿＿＿＿＿＿＿＿＿＿＿＿＿＿＿＿＿＿
　　　　（いいえ）→＿＿＿＿＿＿＿＿＿＿＿＿＿＿＿＿＿＿＿＿
　2．もう授業が終わりましたか。［もうすぐ］
　　　　（はい）　→＿＿＿＿＿＿＿＿＿＿＿＿＿＿＿＿＿＿＿＿
　　　　（いいえ）→＿＿＿＿＿＿＿＿＿＿＿＿＿＿＿＿＿＿＿＿
　3．もうお金を払いましたか。［明日］
　　　　（はい）　→＿＿＿＿＿＿＿＿＿＿＿＿＿＿＿＿＿＿＿＿
　　　　（いいえ）→＿＿＿＿＿＿＿＿＿＿＿＿＿＿＿＿＿＿＿＿

2 卵焼き

　日本人は卵焼きがすきです。卵焼きは、きいろくて、きれいですから、お弁当によく入れます。あまいのと、あまりあまくないのがありますが、私の母のは、とてもあまいです。

　卵焼きは簡単な料理です。いっしょに作りましょう。まず、卵を5個わって、ボールに入れます。さとうとしおを入れてから、はしでまぜます。それから、コンロに火をつけて、フライパンに油を少し入れてから、卵を入れて、焼きます。卵を一度にたくさん入れてはいけません。よわい火でゆっくり焼いてください。卵を少し入れて、うすい卵焼きを作って、それをまきます。そこに、また、卵を少し入れて、焼きます。これを3回くらいします。さあ、やわらかくて、おいしい卵焼きができました。お皿に取って、切って、食べましょう。

　私は今、一人で住んでいます。ときどき卵焼きを作ります。でも、私の卵焼きの味は、母の卵焼きの味とちがいます。私は母の卵焼きを食べたいです。

【ことば】
お弁当　入れます　わります　さとう　しお　ボール　まぜます　コンロ　火　フライパン　油　焼きます　一度に　ゆっくり　まきます　また　〜回　できます　取ります　味　（〜と）ちがいます

【もんだい】
卵焼きは、どうやって作りますか。

　（ E ）→（　）→（　）→（　）→（　）→（　）

A さとうとしおを入れます。　B まきます。 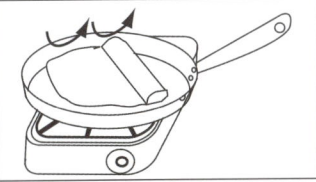　C コンロに火をつけます

D よくまぜます。 　E たまごをわります。 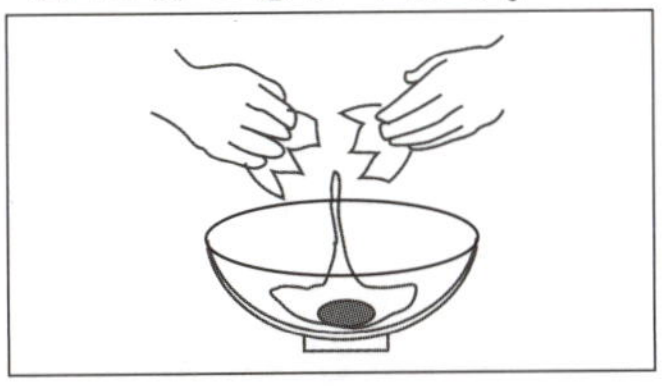　F あぶらをぬります。

ことば

第21課

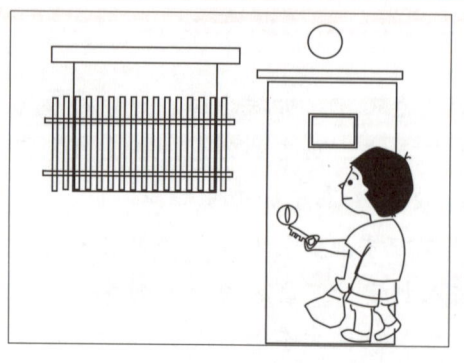

（かぎを）かけます

タイムカード

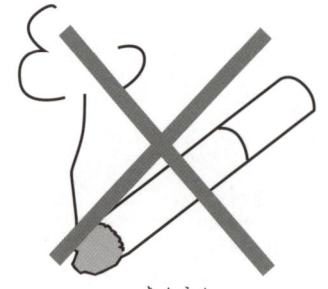

窓（まど）

禁煙（きんえん）

- ■遅刻（ちこく） ■残念（ざんねん）（な） ■心配（しんぱい）します ■なくします
- ■（学校を）休（やす）みます ■（会社を）やめます ■忘（わす）れます
- ■〜たち ■ぜったい ■いろいろ ■また ■遅（おそ）く
- ■お世話（せわ）になりました ■遊（あそ）びに来てください

ことば

さわります　　走ります　　入れます

（車を）止めます　　入ります

パスポート　　洗濯します　　捨てます

第21課

会話

1. シン：サリさん、ここは禁煙ですから、たばこを吸わないでください。
   サリ：あっ、そうですか。すみません。

2. 会社の人：では、仕事の説明をします。
   森山　　：はい。
   会社の人：これがタイムカードです。
   森山　　：はい。
   会社の人：ぜったい遅刻をしないでください。
   森山　　：はい、わかりました。

3. 山川：木村さん、いろいろお世話になりました。とても残念ですが会社をやめます。
   木村：えっ、そうですか。
   山川：いろいろありがとうございました。
   木村：私たちを忘れないでくださいね。またときどき遊びに来てください。
   山川：はい、では、失礼します。

文の形

1 ない形

動詞Ⅰグループ

書きます	…	かきます	＋か＋ない	→	かかない
話します	…	はなします	＋さ＋ない	→	はなさない
立ちます	…	たちます	＋た＋ない	→	たたない
帰ります	…	かえります	＋ら＋ない	→	かえらない
吸います	…	すいます	＋わ＋ない	→	すわない

動詞Ⅱグループ

食べます	…	たべます	＋ない	→	たべない
見ます	…	みます	＋ない	→	みない
開けます	…	あけます	＋ない	→	あけない
出ます	…	でます	＋ない	→	でない

動詞Ⅲグループ

します → しない　　　来ます → こない

2 　　　　　　　　ない でください。

ここでたばこを	吸わない
ボールペンを	使わない
教科書を	見ない
窓を	開けない
エアコンを	消さない
遅刻を	しない
学校を	休まない
この機械に	さわらない
あの部屋に	入らない
中国語で	話さない
学校でお酒を	飲まない
コーヒーにミルクを	入れない

でください。

練習

形の練習

1.

例 書きます	書かない	借ります	
行きます		起きます	
使います		見ます	
話します		着ます	
待ちます		開けます	
買います		食べます	
呼びます		寝ます	
走ります		来ます	
とります		します	
会います		勉強します	

2. 例　テレビを見ません　→　<u>テレビを見ないでください。</u>
1. たばこを吸いません　→＿＿＿＿＿＿＿＿＿＿＿＿＿＿＿
2. 写真をとりません　→＿＿＿＿＿＿＿＿＿＿＿＿＿＿＿
3. となりの人と話しません　→＿＿＿＿＿＿＿＿＿＿＿＿
4. 電気を消しません　→＿＿＿＿＿＿＿＿＿＿＿＿＿＿
5. ドアを開けません　→＿＿＿＿＿＿＿＿＿＿＿＿＿＿
6. この部屋に入りません　→＿＿＿＿＿＿＿＿＿＿＿＿
7. お酒を飲みません　→＿＿＿＿＿＿＿＿＿＿＿＿＿＿
8. かぎをかけません　→＿＿＿＿＿＿＿＿＿＿＿＿＿＿
9. 何も食べません　→＿＿＿＿＿＿＿＿＿＿＿＿＿＿＿
10. こちらへ来ません　→＿＿＿＿＿＿＿＿＿＿＿＿＿＿
11. うちで洗濯しません　→＿＿＿＿＿＿＿＿＿＿＿＿＿
12. 遅刻をしません　→＿＿＿＿＿＿＿＿＿＿＿＿＿＿＿
13. 学校を休みません　→＿＿＿＿＿＿＿＿＿＿＿＿＿＿
14. 教科書を見ません　→＿＿＿＿＿＿＿＿＿＿＿＿＿＿
15. 電話番号を忘れません　→＿＿＿＿＿＿＿＿＿＿＿＿
16. どこも行きません　→＿＿＿＿＿＿＿＿＿＿＿＿＿＿
17. 車を止めません　→＿＿＿＿＿＿＿＿＿＿＿＿＿＿＿
18. この電話を使いません　→＿＿＿＿＿＿＿＿＿＿＿＿
19. パスポートをなくしません　→＿＿＿＿＿＿＿＿＿＿
20. 心配しません　→＿＿＿＿＿＿＿＿＿＿＿＿＿＿＿＿

練習

文の練習

1 例 たばこを吸わないでください。

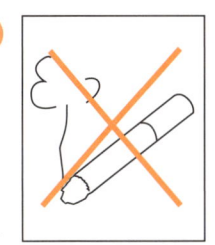

1. ＿＿＿＿＿＿＿＿＿＿＿＿＿＿＿＿＿＿＿＿＿＿＿＿＿＿＿＿＿＿ 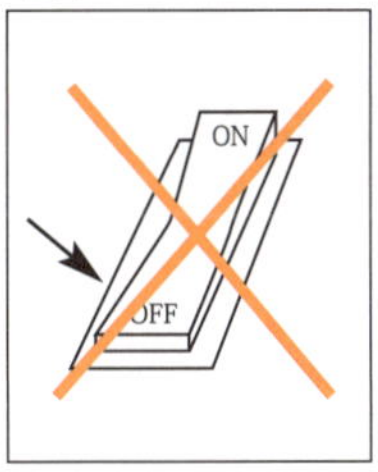
2. ＿＿＿＿＿＿＿＿＿＿＿＿＿＿＿＿＿＿＿＿＿＿＿＿＿＿＿＿＿＿ 
3. ＿＿＿＿＿＿＿＿＿＿＿＿＿＿＿＿＿＿＿＿＿＿＿＿＿＿＿＿＿＿ 
4. ＿＿＿＿＿＿＿＿＿＿＿＿＿＿＿＿＿＿＿＿＿＿＿＿＿＿＿＿＿＿ 
5. ＿＿＿＿＿＿＿＿＿＿＿＿＿＿＿＿＿＿＿＿＿＿＿＿＿＿＿＿＿＿

2 例 ここでたばこを吸ってもいいですか。
　　　→いいえ、吸わないでください。

1. 窓を閉めてもいいですか。　　→＿＿＿＿＿＿＿＿＿＿＿＿＿＿＿＿
2. 教室に入ってもいいですか。　→＿＿＿＿＿＿＿＿＿＿＿＿＿＿＿＿
3. もう帰ってもいいですか。　　→＿＿＿＿＿＿＿＿＿＿＿＿＿＿＿＿
4. 明日アルバイトを休んでもいいですか。　→＿＿＿＿＿＿＿＿＿＿
5. 夜遅く電話をかけてもいいですか。　→＿＿＿＿＿＿＿＿＿＿＿＿
6. ここで写真をとってもいいですか。　→＿＿＿＿＿＿＿＿＿＿＿＿
7. この手紙を捨ててもいいですか。　→＿＿＿＿＿＿＿＿＿＿＿＿＿
8. テレビをつけてもいいですか。　→＿＿＿＿＿＿＿＿＿＿＿＿＿＿
9. ここに車を止めてもいいですか。　→＿＿＿＿＿＿＿＿＿＿＿＿＿

ことば

第22課

片(かた)づけます

時間(じかん)がかかります

時間(じかん)があります

掃除(そうじ)

準備(じゅんび)します

ありがとう

返(かえ)します

- ■大使館(たいしかん) ■住所(じゅうしょ) ■覚(おぼ)えます ■テストを受(う)けます
- ■どれくらい/どれぐらい ■早(はや)い ■すぐ ■〜までに
- ■しかたがありません ■もうしわけありません ■いいですよ

ことば

- 砂糖（さとう）
- 塩（しお）
- 出張（しゅっちょう）
- タクシー
- カード
- 薬（くすり）を飲（の）みます
- コンサート
- 熱（ねつ）があります

第22課

会話

1. ピエール　：すみません。明日ちょっと遅刻をします。
シン　　　：どうしてですか。
ピエール　：大使館に行かなければなりません。
シン　　　：そうですか。しかたがありませんね。
ピエール　：もうしわけありません。
シン　　　：いいえ、いいですよ。

2. パク　　　：ピエールさん、家から学校までどれくらいかかりますか。
ピエール　：1時間くらいです。
パク　　　：そうですか。じゃ、朝早く起きなければなりませんね。
ピエール　：ええ、毎朝6時に起きなければなりません。

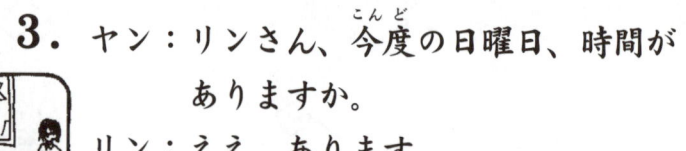

3. ヤン：リンさん、今度の日曜日、時間がありますか。
リン：ええ、あります。
ヤン：じゃあ、いっしょにコンサートに行きませんか。
リン：いいですね、行きましょう。でも、ヤンさんは日曜日、仕事があるでしょう。
ヤン：いいえ、今度の日曜日は休みですから、会社へ行かなくてもいいです。

文の形

1 　　　　　　なければなりません。

お金を	払わ(はら)
大使館へ	行か
うちへ	帰ら(かえ)
この本をすぐ	返さ(かえ)
日本語で	話さ
漢字をたくさん	覚え(おぼ)
朝6時に	起き

なければなりません。

2 　　　　　　なくてもいいです。

お金を	払わ
早く	起き
すぐ	返さ
住所を	書か
エアコンを	つけ
塩(しお)を	入れ
朝早く	起き

なくてもいいです。

3 　　　までに

10時		家へ帰らなければなりません。
金曜日	までに	レポートを書いてください。
15日		お金を払(はら)います。

第22課

練習

形の練習

1 例 書きます
　　　→書かない→書かなければなりません→書かなくてもいいです
　1．着ます　　→＿＿＿＿＿＿＿＿＿＿＿＿＿＿＿＿＿＿＿＿＿＿
　2．起きます　→＿＿＿＿＿＿＿＿＿＿＿＿＿＿＿＿＿＿＿＿＿＿
　3．話します　→＿＿＿＿＿＿＿＿＿＿＿＿＿＿＿＿＿＿＿＿＿＿
　4．返します　→＿＿＿＿＿＿＿＿＿＿＿＿＿＿＿＿＿＿＿＿＿＿
　5．買います　→＿＿＿＿＿＿＿＿＿＿＿＿＿＿＿＿＿＿＿＿＿＿
　6．作ります　→＿＿＿＿＿＿＿＿＿＿＿＿＿＿＿＿＿＿＿＿＿＿
　7．見ます　　→＿＿＿＿＿＿＿＿＿＿＿＿＿＿＿＿＿＿＿＿＿＿
　8．来ます　　→＿＿＿＿＿＿＿＿＿＿＿＿＿＿＿＿＿＿＿＿＿＿
　9．します　　→＿＿＿＿＿＿＿＿＿＿＿＿＿＿＿＿＿＿＿＿＿＿
　10．準備します→＿＿＿＿＿＿＿＿＿＿＿＿＿＿＿＿＿＿＿＿＿＿

2 例 勉強します　→　勉強しなければなりません。
　1．お金を払います　→＿＿＿＿＿＿＿＿＿＿＿＿＿＿＿＿＿＿＿
　2．銀行へ行きます　→＿＿＿＿＿＿＿＿＿＿＿＿＿＿＿＿＿＿＿
　3．国へ帰ります　　→＿＿＿＿＿＿＿＿＿＿＿＿＿＿＿＿＿＿＿
　4．お金を返します　→＿＿＿＿＿＿＿＿＿＿＿＿＿＿＿＿＿＿＿
　5．漢字を覚えます　→＿＿＿＿＿＿＿＿＿＿＿＿＿＿＿＿＿＿＿
　6．切手をはります　→＿＿＿＿＿＿＿＿＿＿＿＿＿＿＿＿＿＿＿
　7．日本語で話します→＿＿＿＿＿＿＿＿＿＿＿＿＿＿＿＿＿＿＿
　8．薬を飲みます　　→＿＿＿＿＿＿＿＿＿＿＿＿＿＿＿＿＿＿＿

3 例 電話をかけません　→　電話をかけなくてもいいです。
　1．砂糖を入れません　→＿＿＿＿＿＿＿＿＿＿＿＿＿＿＿＿＿＿
　2．返事を書きません　→＿＿＿＿＿＿＿＿＿＿＿＿＿＿＿＿＿＿
　3．掃除をしません　　→＿＿＿＿＿＿＿＿＿＿＿＿＿＿＿＿＿＿
　4．テストを受けません→＿＿＿＿＿＿＿＿＿＿＿＿＿＿＿＿＿＿
　5．ドアを閉めません　→＿＿＿＿＿＿＿＿＿＿＿＿＿＿＿＿＿＿
　6．朝早く起きません　→＿＿＿＿＿＿＿＿＿＿＿＿＿＿＿＿＿＿
　7．お金を返しません　→＿＿＿＿＿＿＿＿＿＿＿＿＿＿＿＿＿＿
　8．切符を買いません　→＿＿＿＿＿＿＿＿＿＿＿＿＿＿＿＿＿＿

練習

文の練習

1 **例** 明日はテストです、勉強します。
　　　→明日はテストですから、勉強しなければなりません。

　1．友だちが来ます、6時までに帰ります。→＿＿＿＿＿＿＿＿＿＿
　2．熱があります、薬を飲みます。　→＿＿＿＿＿＿＿＿＿＿
　3．明日は出張です、早く起きます。→＿＿＿＿＿＿＿＿＿＿
　4．午後、会議があります、みんなに連絡します。→＿＿＿＿＿＿＿
　5．これは友だちの本です、土曜日に返します。　→＿＿＿＿＿＿＿

2 **例** 明日は休みです、早く起きません。
　　　→明日は休みですから、早く起きなくてもいいです。

　1．暑くないです、エアコンをつけません。　→＿＿＿＿＿＿＿＿＿
　2．カードで買います、お金を払いません。　→＿＿＿＿＿＿＿＿＿
　3．歩いて行きます、タクシーを呼びません。→＿＿＿＿＿＿＿＿＿
　4．まだ使います、かたづけません。　→＿＿＿＿＿＿＿＿＿
　5．もう元気です、薬を飲みません。　→＿＿＿＿＿＿＿＿＿

CD45 3 **例** 学校に何時までに行かなければなりませんか。（9時）
　　　→9時までに行かなければなりません。
　　　電車に乗らなければなりませんか。（いいえ、近いです）
　　　→いいえ、近いですから、電車に乗らなくてもいいです。

　1．本は、いつまでに返さなければなりませんか。（今月の10日）
　　→＿＿＿＿＿＿＿＿＿＿＿＿＿＿＿＿＿＿＿＿＿＿＿
　2．お金は、いくら払わなければなりませんか。（1人1,500円）
　　→＿＿＿＿＿＿＿＿＿＿＿＿＿＿＿＿＿＿＿＿＿＿＿
　3．朝早く来なければなりませんか。（いいえ、10時に始まります）
　　→＿＿＿＿＿＿＿＿＿＿＿＿＿＿＿＿＿＿＿＿＿＿＿
　4．毎日どれくらい練習しなければなりませんか。（3時間くらい）
　　→＿＿＿＿＿＿＿＿＿＿＿＿＿＿＿＿＿＿＿＿＿＿＿
　5．もう準備しなければなりませんか。（いいえ、まだ早いです）
　　→＿＿＿＿＿＿＿＿＿＿＿＿＿＿＿＿＿＿＿＿＿＿＿

第22課

ことば

第23課

- 運転(うんてん)
- スキー
- 水泳(すいえい)
- ゴルフ
- 押(お)します
- てんぷら
- 働(はたら)きます
- 聞(き)きます
- 講義(こうぎ)

■ローマ字(じ)　■意味(いみ)　■できます　■わかります　■おしえます
■送(おく)ります　■知(し)っています　■やります＝します　■〜方(かた)
■そうしましょう　■ちょっといいですか　■ぜひ　■う〜ん

会話

1. パク：リンさんはテニスができますか。
   リン：はい、できます。
   パク：じゃあ、今度の土曜日、いっしょにやりませんか。
   リン：ええ、いいですね。ぜひやりましょう。

2. コウ：パクさん。この漢字の読み方がわかりますか。
   パク：どの漢字ですか。ああ、これ？　う～ん、わかりません。
   コウ：意味はわかりますが、読み方がわかりません。
   パク：先生に聞きましょう。
   コウ：ええ、そうしましょう。

3. サリ：すみません、ちょっといいですか。
   中田：はい。どうしましたか。
   サリ：この機械の使い方がわかりません。
   中田：ああ、これは、ここを押してから使ってください。
   サリ：そうですか。わかりました。ありがとうございました。

文の形

1 ●は ▬ が できます。
　　　　　　　できません。

青木先生	英語	
ブラウンさん	車の運転	できます。
ピエールさん　は	イタリア語　が	できません。
シンさん	テニス	

2 ●は ▬ が わかります。
　　　　　　　わかりません。

青木先生	中国語	
ブラウンさん　は	この漢字　が	わかります。
ピエールさん	この漢字の意味	わかりません。

3 ▬ 方(かた)

漢字(かんじ)	読み		
機械(きかい)	使い		が　わかりません。
料理(りょうり)　の	作り　方		を　おしえてください。
荷物(にもつ)	送り		を　知っていますか。
勉強	やり		

第23課

140

形の練習

1　例　パクさん・英語　→　<u>パクさんは英語ができます。</u>

　　1．私・スキー　→ _____
　　2．中田さん・中国語　→ _____
　　3．サリさん・車の運転　→ _____
　　4．青木先生・ダンス　→ _____
　　5．ピエールさん・サッカー　→ _____

2　例　リーさん・テニス　→　<u>リーさんはテニスができません。</u>

　　1．ピエールさん・中国語　→ _____
　　2．若山さん・イタリア語　→ _____
　　3．田中さん・水泳　→ _____
　　4．ピエールさん・料理　→ _____
　　5．ヤンさん・ゴルフ　→ _____

3　例　シンさん・日本語　→　<u>シンさんは日本語がわかります。</u>

　　1．私・中国語　→ _____
　　2．キムさん・講義　→ _____
　　3．サリさん・この漢字　→ _____
　　4．ヤンさん・ローマ字　→ _____
　　5．リーさん・難しいことば　→ _____

4　例　ヤンさん・ワープロを使いません。
　　　　→　<u>ヤンさんはワープロの使い方がわかりません。</u>

　　1．私・電話をかけません。　→ _____
　　2．ブラウンさん・漢字を読みません。→ _____
　　3．ピエールさん・日本語の手紙を書きません。→ _____
　　4．リンさん・英語の勉強をしません。　→ _____
　　5．アントニオさん・てんぷらを作りません。→ _____

第23課

練習

文の練習

1 例 キムさんはテニスができます。

キムさん
1. パクさん
2. 青木先生
3. サリさん
4. ピエールさん
5. アントニオさん

1. ＿＿＿＿＿＿＿＿＿＿＿＿＿＿＿＿＿＿＿＿
2. ＿＿＿＿＿＿＿＿＿＿＿＿＿＿＿＿＿＿＿＿
3. ＿＿＿＿＿＿＿＿＿＿＿＿＿＿＿＿＿＿＿＿
4. ＿＿＿＿＿＿＿＿＿＿＿＿＿＿＿＿＿＿＿＿
5. ＿＿＿＿＿＿＿＿＿＿＿＿＿＿＿＿＿＿＿＿

2 例 私は英語がわかります。

私（英語）
1. ブラウンさん（日本語）
2. シンさん（講義）
3. ヤンさん（電話のかけ方）
4. ブラウンさん（手紙の書き方）
5. ピエールさん（カメラの使い方）

1. ＿＿＿＿＿＿＿＿＿＿＿＿＿＿＿＿＿＿＿＿
2. ＿＿＿＿＿＿＿＿＿＿＿＿＿＿＿＿＿＿＿＿
3. ＿＿＿＿＿＿＿＿＿＿＿＿＿＿＿＿＿＿＿＿
4. ＿＿＿＿＿＿＿＿＿＿＿＿＿＿＿＿＿＿＿＿
5. ＿＿＿＿＿＿＿＿＿＿＿＿＿＿＿＿＿＿＿＿

3 **例** 答えてください。

1. あなたは車の運転ができますか。
   →＿＿＿＿＿＿＿＿＿＿＿＿＿＿＿＿＿＿＿＿＿＿＿＿＿＿
2. あなたは英語がわかりますか。
   →＿＿＿＿＿＿＿＿＿＿＿＿＿＿＿＿＿＿＿＿＿＿＿＿＿＿
3. あなたは電話のかけ方がわかりますか。
   →＿＿＿＿＿＿＿＿＿＿＿＿＿＿＿＿＿＿＿＿＿＿＿＿＿＿
4. あなたはサッカーができますか。
   →＿＿＿＿＿＿＿＿＿＿＿＿＿＿＿＿＿＿＿＿＿＿＿＿＿＿
5. あなたはコンピューターの使い方がわかりますか。
   →＿＿＿＿＿＿＿＿＿＿＿＿＿＿＿＿＿＿＿＿＿＿＿＿＿＿

ことば

第24課

- ドル
- 円（えん）
- ねむい
- 鳥（とり）
- 飛びます（とびます）
- 空（そら）
- 窓口（まどぐち）
- キャンプ
- 泳ぎます（およぎます）
- ピアノ
- 駐車場（ちゅうしゃじょう）

■生活（せいかつ）　■外国（がいこく）　■受付（うけつけ）　■夏休み（なつやすみ）　■慣れます（なれます）
■（〜に）かえます　■だいたい　■なかなか　■どこか
■いっしょうけんめい　■たいへんです　■ああ　■いいですね

会話

1. 上田　　：ブラウンさん、日本の生活はどうですか。
　 ブラウン：はい、だいたい慣れました。
　 上田　　：日本語の勉強はどうですか。
　 ブラウン：おもしろいです。毎日いっしょうけんめい勉強しています。
　 上田　　：じゃあ、もう日本人と話すことができますか。
　 ブラウン：ええ、少しできます。でも、なかなか上手に話すことができません。

2. 上田：ヤンさんは、日本へ来てからどこかへ旅行しましたか。
　 ヤン：いいえ。毎日学校へ行きますから、旅行することができません。
　 上田：そうですか。たいへんですね。
　 ヤン：ええ、でも夏休みにどこかへ行きたいです。
　 上田：ああ、いいですね。

文の形

1 辞書形

動詞Ⅰグループ

会います … あ<s>います</s> ＋ う → あう

書きます … か<s>きます</s> ＋ く → かく

話します … はな<s>します</s> ＋ す → はなす

動詞Ⅱグループ

起きます … おき<s>ます</s> ＋ る → おきる

寝ます … ね<s>ます</s> ＋ る → ねる

動詞Ⅲグループ

します→する　　来ます→くる

2　〇　は　辞書形　ことができます。
　　　　　　　　　　　　ことができません。

	泳ぐ
てんぷらを	作る
ギターを	ひく
日本語の新聞を	読む
朝早く	起きる

ことができます。
ことができません。

3　なかなか　辞書形　ことができません。

なかなか
ギターを	ひく
朝早く	起きる
日本語の新聞を	読む

ことができません。

練習

形の練習

1

例 書きます	書く	買います	
行きます		起きます	
使います		見ます	
話します		借ります	
待ちます		寝ます	
読みます		来ます	
とります		します	
走ります		勉強します	

2　例　キムさん・泳ぎます　→　キムさんは泳ぐことができます。

1．ブラウンさん・ピアノをひきます　→_____

2．アントニオさん・ひらがなを書きます　→_____

3．サリさん・日本の歌を歌います　→_____

4．ヤンさん・ビールを10本飲みます　→_____

5．ピエールさん・イタリア語を話します　→_____

6．鳥・空を飛びます　→_____

3　例　写真をとります　→　写真をとることができます。

1．キャンプをします　→_____

2．たばこを吸います　→_____

3．車を止めます　→_____

4．タクシーを呼びます　→_____

5．円をドルにかえます　→_____

6．この電話を使います　→_____

練習

形の練習

4　例　私は日本語の新聞を読みません
　　　　→　<u>私は日本語の新聞を読むことができません。</u>

1．山川さんは英語で電話をかけません
　→ _____

2．ピエールさんは朝早く起きません
　→ _____

3．パクさんはてんぷらを作りません
　→ _____

4．教室でたばこを吸いません
　→ _____

5．ここに車を止めません
　→ _____

6．ここでキャンプをしません
　→ _____

練習

文の練習

1 例：私は泳ぐことができます。

私　　1. シンさん　2. ブラウンさん　3. サリさん　4. アントニオさん

1. _____
2. _____
3. _____
4. _____

2 例　A：教室でたばこを吸うことができますか。
　　　　B：いいえ、だめです。ロビーで吸ってください。

1. A：新幹線で北海道へ＿＿＿＿＿＿＿＿＿＿＿＿＿＿＿＿＿か。
　　B：いいえ、だめです。飛行機で＿＿＿＿＿＿＿＿＿＿ください。
2. A：ここから外国に電話を＿＿＿＿＿＿＿＿＿＿＿＿＿＿＿か。
　　B：いいえ、だめです。受付の電話で＿＿＿＿＿＿＿＿ください。
3. A：郵便局でドルを円に＿＿＿＿＿＿＿＿＿＿＿＿＿＿＿か。
　　B：いいえ、だめです。銀行で＿＿＿＿＿＿＿＿＿＿＿ください。
4. A：学校の前に車を＿＿＿＿＿＿＿＿＿＿＿＿＿＿＿＿＿か。
　　B：いいえ、だめです。駐車場に＿＿＿＿＿＿＿＿＿＿ください。
5. A：ここで新幹線の切符を＿＿＿＿＿＿＿＿＿＿＿＿＿＿か。
　　B：いいえ、だめです。あそこの窓口で＿＿＿＿＿＿＿ください。

第24課

ことば

第25課

よやく 予約
そつぎょう 卒業
しゅうまつ 週末
カーテン
しょるい 書類
の もの 飲み物
たいそう 体操
海
コピーする

■しゅみ 趣味　■まいばん 毎晩　■きこく 帰国　■さびしい　■だい 大すき（な）
■それに　■〜だけ（少しだけ）

会話

1. ヤン：コウさんの趣味は何ですか。
   コウ：私の趣味は寝ることです。
   ヤン：アハハ……。
   コウ：ええ、それに食べることもすきです。
   ヤン：私も食べることが大すきです。

2. シン：ヤンさんは週末何をしますか。
   ヤン：私は海へ行きます。
   シン：海で泳ぎますか。
   ヤン：いいえ、絵をかきに行きます。私の趣味は絵をかくことですから。
   シン：そうですか。

3. サリ　：森先生はお酒を飲みますか。
   森先生：ええ、ときどき飲みます。食事のまえに少しだけ飲みます。
   サリ　：そうですか。私は一人でさびしいですから、毎晩寝るまえに少し飲みます。
   森先生：じゃあ、今度いっしょに飲みましょう。
   サリ　：はい！

文の形

1 私の趣味は 　辞書形　 ことです。

私の趣味は

絵を	泳ぐ
山へ	かく
旅行を	行く
テニスを	する
おいしいものを	する
	食べる

ことです。

2 　　　 まえに、～

（1）Bをします　→　（2）Aをします

A		B
食事する	まえに、	手を洗います
食事 の		手を洗います

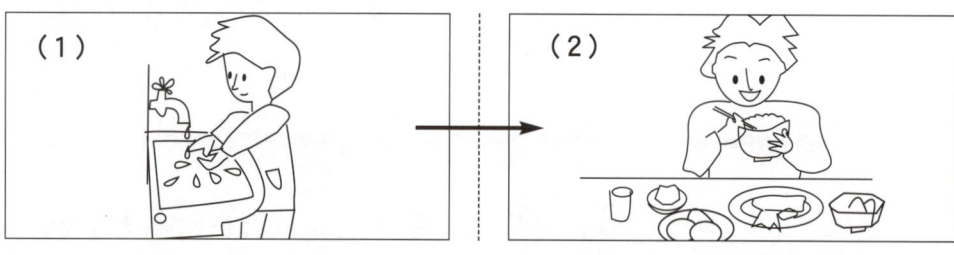

（1）　　　　　　　　（2）

寝る			シャワーを浴びます。
泳ぐ			体操をします。
友だちのうちへ	行く	まえに、	ケーキを買います。
旅行を	する		かばんを買います。
旅行	の		ホテルの予約をします。
パーティー	の		料理を作ります。

152

形の練習

1　**例**　泳ぎます。　→　私の趣味は泳ぐことです。

　　1．絵をかきます。　→＿＿＿＿＿＿＿＿＿＿＿＿＿＿＿＿＿＿＿＿
　　2．山へ行きます。　→＿＿＿＿＿＿＿＿＿＿＿＿＿＿＿＿＿＿＿＿
　　3．音楽を聞きます。　→＿＿＿＿＿＿＿＿＿＿＿＿＿＿＿＿＿＿＿
　　4．本を読みます。　→＿＿＿＿＿＿＿＿＿＿＿＿＿＿＿＿＿＿＿＿
　　5．テニスをします。　→＿＿＿＿＿＿＿＿＿＿＿＿＿＿＿＿＿＿＿
　　6．おいしいものを食べます。　→＿＿＿＿＿＿＿＿＿＿＿＿＿＿＿

2　**例**　食事をします・手を洗います。
　　　　　→　食事をするまえに、手を洗います。

　　1．寝ます・シャワーを浴びます。　→＿＿＿＿＿＿＿＿＿＿＿＿＿
　　2．泳ぎます・体操をします。　→＿＿＿＿＿＿＿＿＿＿＿＿＿＿＿
　　3．旅行をします・かばんを買います。　→＿＿＿＿＿＿＿＿＿＿＿
　　4．出かけます・カーテンを閉めます。　→＿＿＿＿＿＿＿＿＿＿＿
　　5．友だちのうちへ行きます・ケーキを買います。
　　　　→＿＿＿＿＿＿＿＿＿＿＿＿＿＿＿＿＿＿＿＿＿＿＿＿＿＿＿＿
　　6．スーパーへ行きます・銀行へ行きます。
　　　　→＿＿＿＿＿＿＿＿＿＿＿＿＿＿＿＿＿＿＿＿＿＿＿＿＿＿＿＿

3　**例**　食事・手を洗います。　→　食事のまえに、手を洗います。

　　1．旅行・ホテルの予約をします。　→＿＿＿＿＿＿＿＿＿＿＿＿＿
　　2．会議・書類をコピーします。　→＿＿＿＿＿＿＿＿＿＿＿＿＿＿
　　3．テスト・勉強します。　→＿＿＿＿＿＿＿＿＿＿＿＿＿＿＿＿＿
　　4．卒業・写真をとります。　→＿＿＿＿＿＿＿＿＿＿＿＿＿＿＿＿
　　5．パーティー・飲み物を準備します。　→＿＿＿＿＿＿＿＿＿＿＿
　　6．帰国・おみやげを買います。　→＿＿＿＿＿＿＿＿＿＿＿＿＿＿

練習

文の練習

1 例 私の趣味は泳ぐことです。
私

1. パクさん
2. シンさん
3. 森先生
4. キムさん
5. ヤンさん

1. ＿＿＿＿＿＿＿＿＿＿＿＿＿＿＿＿＿＿＿＿＿＿＿＿
2. ＿＿＿＿＿＿＿＿＿＿＿＿＿＿＿＿＿＿＿＿＿＿＿＿
3. ＿＿＿＿＿＿＿＿＿＿＿＿＿＿＿＿＿＿＿＿＿＿＿＿
4. ＿＿＿＿＿＿＿＿＿＿＿＿＿＿＿＿＿＿＿＿＿＿＿＿
5. ＿＿＿＿＿＿＿＿＿＿＿＿＿＿＿＿＿＿＿＿＿＿＿＿

2 例 手を洗ってから、食事をします。→食事をするまえに、手を洗います。

1. 日記を書いてから、寝ます。→
   ＿＿＿＿＿＿＿＿＿＿＿＿＿＿＿＿＿＿＿＿＿＿＿＿
2. 「形の練習」をしてから、「文の練習」をします。→
   ＿＿＿＿＿＿＿＿＿＿＿＿＿＿＿＿＿＿＿＿＿＿＿＿
3. 先生に電話をかけてから、先生の家へ行きました。→
   ＿＿＿＿＿＿＿＿＿＿＿＿＿＿＿＿＿＿＿＿＿＿＿＿
4. ビールを少し飲んでから、食事をしました。→
   ＿＿＿＿＿＿＿＿＿＿＿＿＿＿＿＿＿＿＿＿＿＿＿＿

3　例　寝るまえに、何をしますか。　B：シャワーを浴びます。
1．A：_____、何をしますか。　B：ホテルの予約をします。
2．A：_____、何をしますか。　B：かぎをかけます。
3．A：_____、何をしますか。　B：切符を買います。
4．A：_____、何をしますか。　B：日本のおみやげを買います。
5．A：_____、何をしますか。　B：勉強をします。
6．A：_____、何をしますか。　B：手を洗います。
7．A：_____、何をしますか。　B：体操をします。
8．A：_____、何をしますか。　B：料理をたくさん作ります。
9．A：_____、何をしますか。　B：書類をコピーします。
10．A：_____、何をしますか。　B：カーテンを閉めます。

ことば

第26課

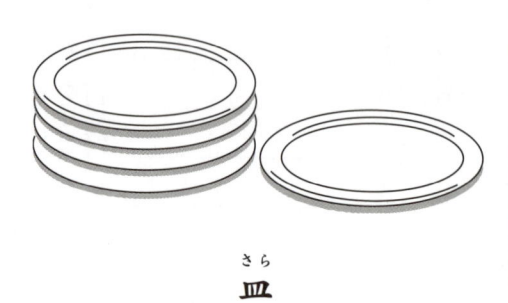

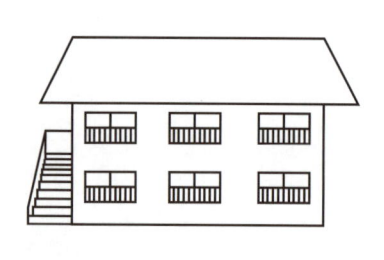

地下(ちか)

皿(さら)

考(かんが)える

アパート

- ■決(き)める
- ■がんばってください
- ■そうですねえ

会話

1. 青木先生：ピエールさんは毎日うちで
どれくらい勉強していますか。
ピエール：晩ご飯を食べたあとで、
2時間くらい勉強しています。
青木先生：学校が終わってから、すぐ
うちへ帰りますか。
ピエール：いいえ、学校が終わってから、
会社へ行って、仕事をして、
7時ごろうちへ帰ります。
青木先生：そうですか。たいへんですね。
がんばってください。

2. リン：サリさん、今日、授業のあとで、
いっしょにご飯を食べませんか。
サリ：いいですね。あ、でも、私は
1時に事務室へ行って、お金を
払わなければなりなせん。
リン：じゃあ、お金を払ったあとで、
来てください。私はパクさんと
いっしょに、先にレストランへ
行きます。ＣＸビルの地下の
「カプチ」を知っていますか。
サリ：ＣＸビル？…いいえ、知りません。
リン：駅の前の新しい白いビル…。
サリ：ああ、あそこ。知っています。
じゃ、1時15分ごろ行きます。

文の形

た形

動詞Ⅰグループ
書きます → 書いて → 書いた
行きます → 行って → 行った
急ぎます → 急いで → 急いだ
話します → 話して → 話した
立ちます → 立って → 立った
死にます → 死んで → 死んだ
飛びます → 飛んで → 飛んだ
読みます → 読んで → 読んだ
とります → とって → とった
言います → 言って → 言った

動詞Ⅱグループ
起きます → 起きて → 起きた
見ます → 見て → 見た
食べます → 食べて → 食べた
寝ます → 寝て → 寝た

動詞Ⅲグループ
来ます → 来て → 来た
します → して → した
勉強します → 勉強して → 勉強した

た あとで、～

（1）Aをします → （2）Bをします

A		B
食事した	あとで、	コーヒーを飲みます
食事の		コーヒーを飲みます

勉強	した		テレビを見ます
テニスを	した	あとで、	シャワーを浴びます
ひらがなを	覚えた		カタカナを覚えました
仕事	の		ビールを飲みます

練習

形の練習

1

例 書きます	書いた	話します	
行きます		起きます	
急ぎます		見ます	
貸します		借ります	
待ちます		食べます	
死にます		かけます	
呼びます		来ます	
読みます		します	
とります		勉強します	
会います		食事します	

2　例　手紙を書きました　→　手紙を書いた

1. 新聞を読みました　→_____
2. 学校へ来ました　→_____
3. テレビを見ました　→_____
4. 英語で話しました　→_____
5. 電話をかけました　→_____

3　例　ブラウンさん、買い物に行きました
　　　　→　ブラウンさんは買い物に行った。

1. サリさん、音楽を聞きました　→_____
2. 森先生、たばこを吸いました　→_____
3. ヤンさん、写真をとりました　→_____
4. ピエールさん、早く寝ました　→_____
5. コウさん、アパートを借りました　→_____

第26課

練習

形の練習

4　例　ご飯を食べます⇒皿を洗います

　　　　→　ご飯を食べたあとで、皿を洗います。
　　　仕事⇒ビールを飲みます

　　　　→　仕事のあとで、ビールを飲みます。

1．勉強します⇒おふろに入ります　→＿＿＿＿＿＿＿＿＿＿＿＿＿＿＿＿
2．買い物⇒友だちの家へ行きます　→＿＿＿＿＿＿＿＿＿＿＿＿＿＿＿＿
3．「形の練習」をします⇒「文の練習」をします→＿＿＿＿＿＿＿＿＿＿
4．食事⇒国に電話をかけます　→＿＿＿＿＿＿＿＿＿＿＿＿＿＿＿＿＿
5．よく考えます⇒決めます　→＿＿＿＿＿＿＿＿＿＿＿＿＿＿＿＿＿＿

文の練習

1　例 
A：勉強したあとで、何をしましたか。
B：散歩をしました。

1．
A：＿＿＿＿＿＿＿＿＿＿＿＿＿＿
B：＿＿＿＿＿＿＿＿＿＿＿＿＿＿

2． 
A：＿＿＿＿＿＿＿＿＿＿＿＿＿＿
B：＿＿＿＿＿＿＿＿＿＿＿＿＿＿

3． 
A：＿＿＿＿＿＿＿＿＿＿＿＿＿＿
B：＿＿＿＿＿＿＿＿＿＿＿＿＿＿

4．
A：＿＿＿＿＿＿＿＿＿＿＿＿＿＿
B：＿＿＿＿＿＿＿＿＿＿＿＿＿＿

2 例 A：晩ご飯を食べたあとで、いつも何をしますか。
　　　 B：晩ご飯を食べたあとで？　そうですね…。
　　　　 手紙を書きます。それから、テレビを見ます。

　1．A：仕事が終わったあとで、いつも何をしますか。
　　　 B：_____
　　　 　_____

　2．A：夜勉強をしたあとで、いつも何をしますか。
　　　 B：_____
　　　 　_____

　3．A：授業のあとで、いつも何をしますか。
　　　 B：_____
　　　 　_____

ことば

第27課

- 納豆（なっとう）
- CD
- 昼寝（ひるね）
- テレビゲーム
- 図書館（としょかん）
- ボーリング
- 船（ふね）
- 温泉（おんせん）

■宿題（しゅくだい）　■運動（うんどう）　■Eメール　■次（つぎ）　■おととい
■アフリカ　■〜年前（ねんまえ）　■そのとき　■〜度（ど）
■〜しか　■たいてい　■みなさん

会話

1. 森先生　：ヤンさんは新幹線に乗ったことがありますか。
　　ヤン　　：いいえ、ありません。新幹線の写真をよく
　　　　　　　見ますが‥‥。一度乗りたいです。
　　森先生　：サリさんは？
　　サリ　　：私は、乗ったことがあります。先月、新幹線で
　　　　　　　京都へ行きました。新幹線はきれいで、速くて、
　　　　　　　旅行はとても
　　　　　　　楽しかったです。
　　ブラウン：私は3年前にも日本へ
　　　　　　　来たことがあります。
　　　　　　　1週間しかいません
　　　　　　　でしたが、そのとき
　　　　　　　乗りました。

2. 青木先生：コウさんは、月曜日から金曜日
　　　　　　　までは忙しいですね。でも、
　　　　　　　日曜日はひまでしょう。いつも、
　　　　　　　どんなことをしますか。
　　コウ　　：私は日曜の朝、ご飯を食べてから、
　　　　　　　掃除をします。掃除をしたあとで、
　　　　　　　洗濯をしたり、買い物に行ったり
　　　　　　　します。午前中はひまではありません。
　　青木先生：そうですか。たいへんですね。
　　コウ　　：先生も日曜日は忙しいですか。
　　青木先生：日曜日はたいていうちにいますが、
　　　　　　　部屋をかたづけたり、次の週の
　　　　　　　授業の準備をしたりしますから、
　　　　　　　忙しいですよ。

文の形

1 ［　　　　　た　］ことがあります。
　　　　　　　　　　ことがありません。

私 サリさん コウさん ヤンさん	は	外国へ　　　　行った 新幹線に　　　乗った すしを　　　　食べた 日本語で電話を　かけた

ことがあります。
ことがありません。

2 ［　　　た　］り、［　　　た　］り　します。

テレビを 本を	買い物した 見た 読んだ	り、	音楽を 手紙を	散歩した 聞いた 書いた

り　します。

映画を 日本語を勉強	見た した	り、	カラオケに レポートを	行った 書いた

り　しました。

3 ［　　　］しか〜ません。

一人 1,000円 野菜 2時間	しか	いません。 持っていません。 食べません。 寝ませんでした。

第27課

形の練習

1　例　京都へ行きました。　→　京都へ行ったことがあります。
　　1．新幹線に乗りました　　　→＿＿＿＿＿＿＿＿＿＿＿＿＿＿＿＿
　　2．さしみを食べました　　　→＿＿＿＿＿＿＿＿＿＿＿＿＿＿＿＿
　　3．一人で旅行しました　　　→＿＿＿＿＿＿＿＿＿＿＿＿＿＿＿＿
　　4．日本語で電話をかけました　→＿＿＿＿＿＿＿＿＿＿＿＿＿＿＿＿
　　5．この歌を聞きました　　　→＿＿＿＿＿＿＿＿＿＿＿＿＿＿＿＿

2　例　私、アフリカ料理食べる
　　　　→　私はアフリカ料理を食べたことがありません。
　　1．リンさん、フランス、住む　→＿＿＿＿＿＿＿＿＿＿＿＿＿＿＿＿
　　2．ピエールさん、納豆、食べる　→＿＿＿＿＿＿＿＿＿＿＿＿＿＿＿＿
　　3．ヤンさん、日本のお寺、行く　→＿＿＿＿＿＿＿＿＿＿＿＿＿＿＿＿
　　4．サリさん、スキー、する　→＿＿＿＿＿＿＿＿＿＿＿＿＿＿＿＿
　　5．コウさん、温泉、入る　　→＿＿＿＿＿＿＿＿＿＿＿＿＿＿＿＿

3　例　テレビを見ます＋音楽を聞きます
　　　　→　テレビを見たり、音楽を聞いたりします。
　　1．本を読みます＋勉強します　　　　　→＿＿＿＿＿＿＿＿＿＿＿＿
　　2．買い物をします＋カラオケに行きます　→＿＿＿＿＿＿＿＿＿＿＿＿
　　3．掃除をします＋料理を作ります　　　　→＿＿＿＿＿＿＿＿＿＿＿＿
　　4．手紙を書きます＋雑誌を見ます　　　　→＿＿＿＿＿＿＿＿＿＿＿＿
　　5．お酒を飲みます＋ボーリングをします　→＿＿＿＿＿＿＿＿＿＿＿＿

4　例　宿題をしました＋散歩しました
　　　　→　宿題をしたり、散歩したりしました。
　　1．友だちとお茶を飲みました＋デパートへ行きました→＿＿＿＿＿＿
　　2．部屋を掃除しました＋かたづけました。　　　　→＿＿＿＿＿＿
　　3．テープを聞きました＋漢字の練習をしました　　→＿＿＿＿＿＿
　　4．船に乗りました＋新幹線に乗りました　　　　　→＿＿＿＿＿＿
　　5．国の家族に電話をかけました＋新聞を読みました→＿＿＿＿＿＿

練習

文の練習

1 例

A：日本のお茶を飲んだことがありますか。
B：ええ、あります。おいしかったです。

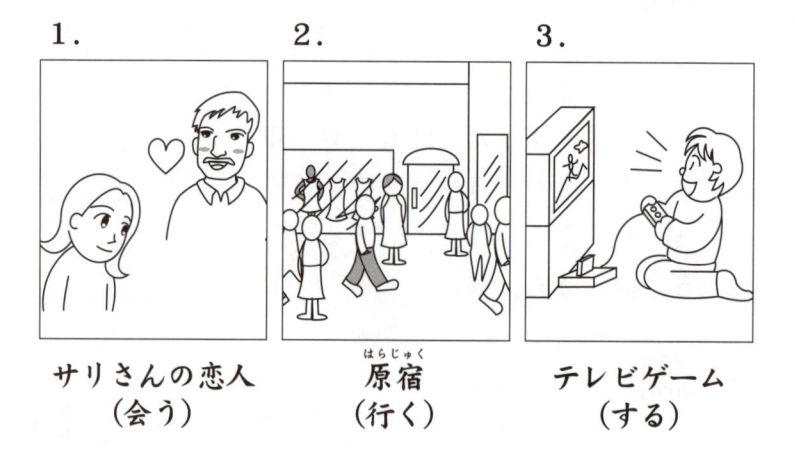

日本のお茶
（飲む）

1. サリさんの恋人
（会う）

2. 原宿
（行く）

3. テレビゲーム
（する）

1. A：＿＿＿＿＿＿＿＿＿＿＿＿＿＿ことがありますか。
   B：ええあります。＿＿＿＿＿＿＿＿＿＿＿＿＿＿。
2. A：＿＿＿＿＿＿＿＿＿＿＿＿＿＿ことがありますか。
   B：ええあります。＿＿＿＿＿＿＿＿＿＿＿＿＿＿。
3. A：＿＿＿＿＿＿＿＿＿＿＿＿＿＿ことがありますか。
   B：ええあります。＿＿＿＿＿＿＿＿＿＿＿＿＿＿。

練習

CD 56

2 例 昨日の夜何をしましたか。
　　　<u>テレビを見たり、宿題をしたりしました。</u>

1. 今日、授業のあとで、何をしましたか。
　→＿＿＿＿＿＿＿＿＿＿＿＿＿＿＿＿＿＿＿＿＿＿＿＿＿＿＿＿＿＿

2. 休みの日、いつも何をしますか。
　→＿＿＿＿＿＿＿＿＿＿＿＿＿＿＿＿＿＿＿＿＿＿＿＿＿＿＿＿＿＿

3. 先週の日曜日、何をしましたか。
　→＿＿＿＿＿＿＿＿＿＿＿＿＿＿＿＿＿＿＿＿＿＿＿＿＿＿＿＿＿＿

4. 夏休み、何をしましたか。
　→＿＿＿＿＿＿＿＿＿＿＿＿＿＿＿＿＿＿＿＿＿＿＿＿＿＿＿＿＿＿

> 旅行をする　お茶を飲む　カラオケに行く　料理を作る
> 買い物に行く　山へ行く　友だちに電話をかける
> 映画を見に行く　友だちにEメールを送る　友だちと話す
> 公園を散歩する　宿題をする　運動をする　音楽を聞く
> テレビを見る

3 例 子どもが一人だけいます。
　　　→ <u>子どもが一人しかいません。</u>

1. お金が2,000円だけあります。　→＿＿＿＿＿＿＿＿＿＿＿＿＿＿＿
2. お酒はビールだけ飲みます。　→＿＿＿＿＿＿＿＿＿＿＿＿＿＿＿
3. 日曜日だけ休みます。　→＿＿＿＿＿＿＿＿＿＿＿＿＿＿＿＿＿＿
4. 国でひらがなだけ勉強しました。　→＿＿＿＿＿＿＿＿＿＿＿＿＿
5. 外国語は日本語だけわかります。　→＿＿＿＿＿＿＿＿＿＿＿＿＿

第27課

ことば

第28課

けっせき
欠席する

しゅっせき
出席する

あんない
案内する

ぼく

きみ
君

- じぶん
  自分
- やくそく
  約束
- よこはま
  横浜
- きゅうしゅう
  九州
- よろしくお願いします
- そんなことはありません

会話

1. 森先生　：ピエールさん、こんにちは。元気？
　　　　　　昨日、大使館へ行った？
　　ピエール：ええ。先生、授業を欠席して、すみませんでした。今日、授業が終わってから、昨日のテストをしてもいいですか。昨日、テストを受けなかったから。
　　森先生　：ああ、いいよ。じゃあ、12時半に教室で。
　　ピエール：よろしくお願いします。
　　森先生　：ピエールさんはまじめだね。
　　ピエール：そんなことはありません。

2. 大山：今晩、飲みに行かない？
　　ヤン：今晩はちょっと、約束があって…。
　　大山：そう。じゃ、明日の夜はどう？　忙しい？
　　ヤン：ううん、明日はだいじょうぶだ。
　　大山：君はさしみを食べる？
　　ヤン：うん、食べる。
　　大山：じゃあ、ぼくがいい店に案内するよ。
　　ヤン：ありがとう。

第28課

文の形

普通形

書く	書かない	書いた	書かなかった
行く	行かない	行った	行かなかった
食べる	食べない	食べた	食べなかった
起きる	起きない	起きた	起きなかった
する	しない	した	しなかった
ある	ない	あった	なかった

大きい	大きくない	大きかった	大きくなかった
いい	よくない	よかった	よくなかった

きれいだ	きれいではない きれいじゃない	きれいだった	きれいではなかった きれいじゃなかった
ひまだ	ひまではない ひまじゃない	ひまだった	ひまではなかった ひまじゃなかった

休みだ	休みではない 休みじゃない	休みだった	休みではなかった 休みじゃなかった

1.

ブラウンさん リンさん ヤンさん コウさん ピエールさん 私	は	毎日　　学校へ まだ 昨日　カメラを 今朝　ご飯を サッカーが 自転車が	行く。 帰らない。 買った。 食べなかった。 すきだ。 ほしい。

2.

兄 サリさん アントニオさん ピエールさん パクさん	は	横浜に レポートを 富士山を 漢字を 今晩	住んでいる。 書かなくてもいい。 見たことがある。 読むことができる。 仕事しなければならない。

練習

形の練習

1

例 書きます	書きません	書きました	書きませんでした
書く	書かない	書いた	書かなかった
行きます	行きません	行きました	行きませんでした
急ぎます	急ぎません	急ぎました	急ぎませんでした
貸します	貸しません	貸しました	貸しませんでした
待ちます	待ちません	待ちました	待ちませんでした
死にます	死にません	死にました	死にませんでした
呼びます	呼びません	呼びました	呼びませんでした
とります	とりません	とりました	とりませんでした
あります	ありません	ありました	ありませんでした
会います	会いません	会いました	会いませんでした
起きます	起きません	起きました	起きませんでした
食べます	食べません	食べました	食べませんでした
来ます	来ません	来ました	来ませんでした
します	しません	しました	しませんでした

第28課

練習

おいしいです	おいしくないです	おいしかったです	おいしくなかったです
いいです	よくないです	よかったです	よくなかったです
元気です	元気ではありません	元気でした	元気ではありませんでした
休みです	休みではありません	休みでした	休みではありませんでした

2 例 私は毎日学校へ行きます。 → 私は毎日学校へ行く。

1．サリさんは自分で料理を作ります。
  →＿＿＿＿＿＿＿＿＿＿＿＿＿＿＿＿＿＿＿＿＿＿＿＿＿

2．パクさんは昨日テレビを見ませんでした。
  →＿＿＿＿＿＿＿＿＿＿＿＿＿＿＿＿＿＿＿＿＿＿＿＿＿

3．ピエールさんの家は学校から近いです。
  →＿＿＿＿＿＿＿＿＿＿＿＿＿＿＿＿＿＿＿＿＿＿＿＿＿

4．ブラウンさんは納豆があまりすきではありません。
  →＿＿＿＿＿＿＿＿＿＿＿＿＿＿＿＿＿＿＿＿＿＿＿＿＿

5．先週の日曜日、友だちと映画を見ました。
  →＿＿＿＿＿＿＿＿＿＿＿＿＿＿＿＿＿＿＿＿＿＿＿＿＿

6．今日この仕事をしなければなりません。
  →＿＿＿＿＿＿＿＿＿＿＿＿＿＿＿＿＿＿＿＿＿＿＿＿＿

7．ヤンさんは日本語で電話をかけることができます。
  →＿＿＿＿＿＿＿＿＿＿＿＿＿＿＿＿＿＿＿＿＿＿＿＿＿

8．シンさんは九州へ行ったことがあります。
  →＿＿＿＿＿＿＿＿＿＿＿＿＿＿＿＿＿＿＿＿＿＿＿＿＿

9．サリさんは九州へ行ったことがありません。
  →＿＿＿＿＿＿＿＿＿＿＿＿＿＿＿＿＿＿＿＿＿＿＿＿＿

10．明日から休みですから、学校へ来なくてもいいです。
  →＿＿＿＿＿＿＿＿＿＿＿＿＿＿＿＿＿＿＿＿＿＿＿＿＿

練習

文の練習

1 例　ご飯を食べましたか。
　　　　－はい、食べました。／いいえ、食べませんでした。
　　　　→ご飯を食べた？－うん、食べた。／ううん、食べなかった。

1. 昨日、映画を見ましたか。－はい、見ました。／いいえ、見ませんでした。
　→_____
2. 明日、出席しますか。－はい、出席します。／いいえ、出席しません。
　→_____
3. 今度の日曜日ひまですか。－はい、ひまです。／いいえ、ひまではありません。
　→_____
4. リンさんは、今勉強していますか。－はい、しています。／いいえ、していません。
　→_____
5. この電車は速いですか。－はい、速いです。／いいえ、速くないです。
　→_____
6. この漢字を読むことができますか。－はい、できます。／いいえ、できません。
　→_____
7. 京都へ行ったことがありますか。－はい、あります。／いいえ、ありません。
　→_____
8. あの店は月曜日休みですか。－はい、休みです。／いいえ、休みではありません。
　→_____
9. あの人を知っていますか。－はい、知っています。／いいえ、知りません。
　→_____
10. 明日までにこの仕事をしなければなりませんか。
　　－はい、しなければなりません。／いいえ、しなくてもいいです。
　→_____

2 例　A：来週の土曜日、何をしますか。　B：テニスをします。
　　　　→A：来週の土曜日、何をする？　B：テニスをする。

1. A：これからどこへ行きますか。　　B：図書館へ行きます。
　→A：＿＿＿＿＿＿＿＿＿＿　　B：＿＿＿＿＿＿＿＿＿＿
2. A：勉強のあとで、何をしますか。　B：ご飯を食べます。
　→A：＿＿＿＿＿＿＿＿＿＿　　B：＿＿＿＿＿＿＿＿＿＿
3. A：どうやって京都へ行きますか。　B：新幹線で行きます。
　→A：＿＿＿＿＿＿＿＿＿＿　　B：＿＿＿＿＿＿＿＿＿＿
4. A：どうですか。　　　　　　　　　B：元気です。
　→A：＿＿＿＿＿＿＿＿＿＿　　B：＿＿＿＿＿＿＿＿＿＿
5. A：いつ日本へ来ましたか。　　　　B：今年の4月に来ました。
　→A：＿＿＿＿＿＿＿＿＿＿　　B：＿＿＿＿＿＿＿＿＿＿

第28課

ことば

第29課

- 晴(は)れる
- 大家(おおや)さん
- 雨(あめ)が降(ふ)る
- 社長(しゃちょう)
- 思(おも)う
- 息子(むすこ)
- 娘(むすめ)
- 持(も)ってくる
- (お)菓子(かし)

■春(はる) ■秋(あき) ■冬(ふゆ) ■入管(にゅうかん)(入国管理局(にゅうこくかんりきょく)) ■都合(つごう)
■今夜(こんや)(今晩(こんばん)) ■小説(しょうせつ) ■たぶん ■きっと
■ちょっと… ■(〜は)どうですか

174

会話

1. 森先生　　：今日はヤンさんがいませんね。
   ブラウン　：ヤンさんは入管へ行きましたから、今日はたぶん来ないでしょう。
   森先生　　：そうですか。
   ブラウン　：明日は学校へ来ると思います。試験もありますから、きっと来るでしょう。

2. コウ　　　：先生、春休みに日本語の小説を読みたいと思いますが、何がいいですか。
   青木先生　：そうですねえ…。
   コウ　　　：やさしくて、おもしろい小説はありませんか。
   青木先生　：やさしくて、おもしろい日本語の小説ね…。ううん、日本語の勉強を始めて、まだ2か月ですから、小説はちょっと…。よくわからないと思いますよ。
   コウ　　　：そうですか。まだだめですか。
   青木先生　：ああ、子どもの小説はどうですか。子どもの小説は読むことができると思います。私の息子の本を明日持ってきますね。
   コウ　　　：お願いします。

文の形

1 　　　　　　　　　　と思います。

キムさんはダンスが	できる
リンさんは	来る
ヤンさんは	来ない
田中さんは	帰った
明日は	忙しい
来週は	ひまだ
今度の日曜日は	いい天気だ
あの人は	日本人だ

と思います。

2 　　　　　　　　　　でしょう。

明日、雨が	降る
リンさんは学校へ	来る
ピエールさんは旅行に	行かない
森先生はテニスが	できる
今晩は	寒い
秋の山は	きれい
来週は	ひま
図書館は今日	休み
あの人は	日本人

でしょう。

練習

形の練習

1　例　来ます。　→　来ると思います。
　　1．行きます。　→＿＿＿＿＿＿＿＿＿＿＿＿＿＿＿＿
　　2．帰りました。→＿＿＿＿＿＿＿＿＿＿＿＿＿＿＿＿
　　3．来ません。　→＿＿＿＿＿＿＿＿＿＿＿＿＿＿＿＿
　　4．学生です。　→＿＿＿＿＿＿＿＿＿＿＿＿＿＿＿＿
　　5．天気がいいです。　→＿＿＿＿＿＿＿＿＿＿＿＿

2　例　わかります。　→　わかるでしょう。
　　1．休みます。　→＿＿＿＿＿＿＿＿＿＿＿＿＿＿＿＿
　　2．終わりました。→＿＿＿＿＿＿＿＿＿＿＿＿＿＿
　　3．難しいです。　→＿＿＿＿＿＿＿＿＿＿＿＿＿＿
　　4．できません。　→＿＿＿＿＿＿＿＿＿＿＿＿＿＿
　　5．雨が降ります。　→＿＿＿＿＿＿＿＿＿＿＿＿＿

3　例　明日は雨が降ります。　→　明日は雨が降るでしょう。
　　1．青木先生はフランス語ができます。　→＿＿＿＿＿＿
　　2．リンさんは今度のパーティーに来ません。→＿＿＿＿
　　3．あの人は中国人です。　→＿＿＿＿＿＿＿＿＿＿＿＿
　　4．今年の冬は暖かいです。　→＿＿＿＿＿＿＿＿＿＿
　　5．そのカメラはとても高かったです。　→＿＿＿＿＿＿

4　例　明日は雨が降ります。　→　明日は雨が降ると思います。
　　1．今度の日曜日は晴れます。　→＿＿＿＿＿＿＿＿＿＿
　　2．川中さんは旅行に行きません。　→＿＿＿＿＿＿＿＿
　　3．次の月曜日、図書館は休みです。　→＿＿＿＿＿＿
　　4．シンさんは今日、ひまではありません。　→＿＿＿＿
　　5．森先生は明日、忙しいです。　→＿＿＿＿＿＿＿＿

第29課

練習

文の練習

1. **例** 明日は晴れますか。（はい、たぶん）
   → <u>はい、たぶん晴れると思います。</u>
   キムさんは来ますか。（いいえ、たぶん）
   → <u>いいえ、たぶん来ないと思います。</u>

   1. 娘さんは中国語ができますか。（はい、きっと）
      → _____
   2. あの人はフランス人ですか。（はい、たぶん）
      → _____
   3. 今度の週末の天気はいいですか。（いいえ、たぶん）
      → _____
   4. 大家さんの犬はこのお菓子を食べますか。（はい、きっと）
      → _____
   5. 今、北京は寒いですか。（いいえ、きっと）
      → _____
   6. 夏休みに国へ帰りますか。（はい、たぶん）
      → _____

2. **例** あさっての天気はどうですか。（たぶん晴れます）
   → <u>たぶん晴れると思います。</u>

   1. 田中さんは中国語はどうですか。（たぶんわかります）
      → _____
   2. 明日のテストはどうですか。（きっと難しいです）
      → _____
   3. 社長さんの家はどんな家ですか。（たぶん大きい家です）
      → _____
   4. あの女の人は何人ですか。（たぶんフランス人です）
      → _____
   5. 青木先生の都合はどうですか。（たぶんだいじょうぶです）
      → _____

練習

CD 60 3 　例

たぶん明日は晴れると思います。
たぶん明日は晴れるでしょう。

明日

1.  今夜
2.  あの人
3.  マレーシア
4.  田中さん
5.  サリさん（食べません）

1. _____

2. _____

3. _____

4. _____

5. _____

第29課

ことば

第30課

見学（けんがく）する
箱（はこ）
えんぴつ
届（とど）く
パンダ
動物園（どうぶつえん）
（お）弁当（べんとう）
見せる
持っていく

- 箱根（はこね）
- 場所（ばしょ）
- イギリス
- すばらしい
- 調（しら）べる
- よく
- どういたしまして

会話

1. ブラウン：パクさん、これ、どうぞ。
   パク　　：え、何ですか。
   ブラウン：箱根で買ったおみやげです。昨日、箱根へ行きましたから。
   パク　　：どうもありがとうございます。箱根はどうでしたか。
   ブラウン：山も湖もすばらしかったです。富士山も見ました。
   パク　　：そうですか。よかったですね。

2. パク　　：おみやげ、ありがとうございます。何ですか。
   ブラウン：開けるまえに、何だと思いますか。
   パク　　：食べる物？
   ブラウン：いいえ、食べる物ではありません。
   パク　　：食べる物じゃない？ じゃあ、使う物ですか。
   ブラウン：そうです。中にえんぴつやペンを入れる物です。どうぞ開けてください。
   パク　　：あ、きれいな箱ですね。ほんとうにありがとう。
   ブラウン：どういたしまして。箱根でとった写真を今度見せますね。

文の形

これは 　　　　 カメラです。

これは カメラ です。
　　　私の です。　→　これは 私の カメラです。
　　　高い です。　→　これは 高い カメラです。
　　　昨日 新宿で 買いました。→　これは 昨日新宿で買ったカメラです。
　　　　　　　　　[買った]

1 これは [動詞：普通形] 名詞 です。

これは

子どもが読む 今読んでいる 先週友だちに借りた 明日図書館に返す	本
だれも知らない 先生に聞いた 前に聞いたことがある ぜひ聞きたかった	話

です。

2 普通形 名詞 は

図書館で借りた 昨日買った 今リンさんが読んでいる	本	は	小説です。 おもしろい。 田中さんのです。

3 普通形 名詞 を

今 ヤンさんは 来週	国から届いた 旅行に持っていく サリさんが働いている	雑誌 荷物 会社 を	読んでいます。 準備しています。 見学します。

練習

形の練習

1　**例**　本（子供が読みます）　→　子供が読む本

1. ビデオ（明日返します）　→＿＿＿＿＿＿＿＿＿＿＿＿＿＿＿＿＿
2. 友だち（今晩会います）　→＿＿＿＿＿＿＿＿＿＿＿＿＿＿＿＿＿
3. 学生（あまり勉強しません）　→＿＿＿＿＿＿＿＿＿＿＿＿＿＿＿
4. お弁当（お昼に食べます）→＿＿＿＿＿＿＿＿＿＿＿＿＿＿＿＿＿
5. 人（よく働きます）　→＿＿＿＿＿＿＿＿＿＿＿＿＿＿＿＿＿＿＿
6. 家（友だちが住んでいます）　→＿＿＿＿＿＿＿＿＿＿＿＿＿＿＿
7. 作文（日本語で書きました）　→＿＿＿＿＿＿＿＿＿＿＿＿＿＿＿
8. ケーキ（自分で作りました）　→＿＿＿＿＿＿＿＿＿＿＿＿＿＿＿
9. 人（昨日学校を休みました）　→＿＿＿＿＿＿＿＿＿＿＿＿＿＿＿
10. 作文（ピエールさんが書きました）　→＿＿＿＿＿＿＿＿＿＿＿＿
11. パンダ（中国から来ました）　→＿＿＿＿＿＿＿＿＿＿＿＿＿＿＿
12. 人（大学に入りたいです）　→＿＿＿＿＿＿＿＿＿＿＿＿＿＿＿＿
13. 物（今日買わなければなりません）　→＿＿＿＿＿＿＿＿＿＿＿＿
14. 店（いつも食べに行きます）　→＿＿＿＿＿＿＿＿＿＿＿＿＿＿
15. 場所（行ったことがありません）　→＿＿＿＿＿＿＿＿＿＿＿＿＿

練習

文の練習

1

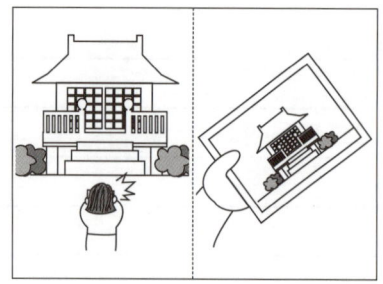

A 例　これは<u>京都でとった写真です</u>。

京都でとりました

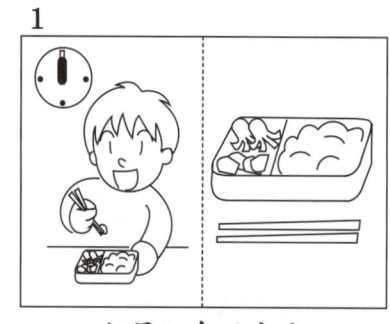

1　お昼に食べます
2　私が作りました

1. これは＿＿＿＿＿＿＿＿＿＿＿＿＿＿＿＿＿＿＿＿＿＿＿＿＿＿＿＿＿＿。
2. これは＿＿＿＿＿＿＿＿＿＿＿＿＿＿＿＿＿＿＿＿＿＿＿＿＿＿＿＿＿＿。

B
1. これは小説です（私が読んでいます）→＿＿＿＿＿＿＿＿＿＿＿＿＿
2. それはテープレコーダーです（青木先生がいつも使っています）
　　→＿＿＿＿＿＿＿＿＿＿＿＿＿＿＿＿＿＿＿＿＿＿＿＿＿＿＿＿＿
3. これはビデオです（明日返します）　→＿＿＿＿＿＿＿＿＿＿＿＿＿
4. これは人形です（京都で買いました）　→＿＿＿＿＿＿＿＿＿＿＿＿＿
5. これは本です（図書館で借りました）　→＿＿＿＿＿＿＿＿＿＿＿＿＿
6. それは作文です（ピエールさんが書きました）　→＿＿＿＿＿＿＿＿
7. あれは家です（友だちが住んでいます）　→＿＿＿＿＿＿＿＿＿＿＿
8. それは写真ですか（箱根でとりました）　→＿＿＿＿＿＿＿＿＿＿＿

練習

CD 62

2 例 学生（アルバイトをしています）／毎日忙しいです
　　→ <u>アルバイトをしている学生は毎日忙しいです。</u>

1. 店（いつも食べに行きます）／安くて、おいしいです
　→ _____

2. 映画（昨日見ました）／おもしろかったです
　→ _____

3. パンダ（中国からきました）／動物園にいます
　→ _____

4. 部屋（リンさんが借りています）／広くて、きれいです
　→ _____

5. 人（大学に入りたいです）／クラスに5人います
　→ _____

6. 物（今日、買わなければなりません）／肉と卵です
　→ _____

7. 友だち（明日会います）／イギリス人です
　→ _____

8. 会社（兄が働いています）／アメリカの会社です
　→ _____

9. くだもの（あなたが食べています）／何ですか
　→ _____

10. 人（試験を受けました）／だれですか
　→ _____

3 例 料理（姉が作りました）＋食べました
　　→ <u>姉が作った料理を食べました。</u>

1. 物（夜食べます）＋買いに行きます→_____
2. ことば（意味がわかりません）＋辞書で調べます→_____
3. 手紙（ゆうべ書きました）＋今朝出しました→_____
4. 荷物（旅行に持っていきます）＋今準備しています→_____
5. 写真（箱根でとりました）＋見ましたか→_____

第30課

読み物

③ みどり町図書館

　この図書館では、本を読んだり、ビデオを見たり、CDで音楽を聞いたりすることができます。みどり町に住んでいる人とみどり町ではたらいている人は、本やビデオを借りることもできます。本は、一人5冊まで、2週間借りることができます。ビデオは一人1本、CDは2枚までで、期間は1週間です。次に借りたい人が待っていますから、返す日はかならずまもらなければなりません。借りた本やビデオなどは、なくしたり、こわしたりしないでください。みなさんのぜい金で買ったものですから、大切に使ってください。

　この図書館は朝9時から夜8時までです。毎週月曜日と第4日曜日は休みです。入り口に「図書返却ポスト」があって、休みの日でも、図書館が閉まったあとでも、本を返すことができます。しかし、このポストには本しか入れることができません。

　本やビデオなどを借りたい人は、カードを作りますから、受付で申し込んでください。お金は要りませんが、学生証や運転免許証など住所がわかるものと、はんこがひつようです。

【ことば】

だれでも　期間　まもる　こわす　ぜい金　大切（な）　第～　返却ポスト　閉まる　申し込む　要る　学生証　運転免許証　はんこ　ひつよう（な）

【もんだい】

ただしいものに○、ただしくないものに×を書きなさい。
1. (　) 本は、いつでも返すことができる。
2. (　) ビデオとCDは、ポストに入れてはいけない。
3. (　) みどり町に住んでいない人は、本を借りることができない。
4. (　) 月曜日は、図書館に入ることができない。
5. (　) カードを作る人は、お金をはらう。
6. (　) 本もビデオもCDも、2週間借りることができる。
7. (　) 日曜日、図書館はいつも閉まっている。

索引

読み物＝*番号

	ことば		課
あ	ああ	ああ（ああ、いいですね）	24
	あいす	アイス	13
	あいすくりーむ	アイスクリーム	19
	あいます	会います	9
	あおい	青い	6
	あかい	赤い	6
	あき	秋	29
	あくしゅをします	握手をします	8
	あけます	開けます	16
	あさ	朝	3
	あさごはん	朝ご飯	18
	あじ	味	*2
	あじあ	アジア	*1
	あしがながい	足が長い	6
	あした	明日	3
	あそこ	あそこ	5
	あそびます	遊びます	15
	あたたかい	暖かい	6
	あたまがいい	頭がいい	6
	あたまがいたい	頭が痛い	7
	あたらしい	新しい	6
	あつい	厚い	6
	あつい	暑い	6
	あつい	熱い	6
	あとで	あとで	16
	あなた	あなた	1
	あに	兄	6
	あね	姉	17
	あの	あの	2
	あぱーと	アパート	26
	あびます	浴びます	15
	あぶら	油	*2
	あふりか	アフリカ	27
	あまい	あまい	10
	あまいもの	あまい物	10
	あまり	あまり	7
	あめ	雨	29
	あめりか	アメリカ	1

187

	あらいます	洗います	18
	ありがとうございます	ありがとうございます	7
	あります	あります（〜に）	5
	あります	あります（時間が）	22
	あります	あります（熱が）	22
	あるいて	あるいて	3
	あるきます	歩きます	16
	あるばいと	アルバイト	4
	あれ	あれ	2
	あんないする	案内する	28
い	いーめーる	Eメール	27
	いい	いい	6
	いいえ	いいえ	1
	いいです	いいです（〜がいいです）	12
	いいですね	いいですね（ああ、いいですね）	24
	いいですよ	いいですよ	22
	いいます	言います	16
	いえ	家	3
	いかがですか	いかがですか	14
	いきます	行きます	3
	いぎりす	イギリス	30
	いくら	いくら	12
	いけぶくろ	池袋	18
	いす	いす	5
	いそがしい	忙しい	6
	いそぎます	急ぎます	16
	いたい	痛い（おなかが）	14
	いたりあ	イタリア	1
	いちど	一度	27
	いちどに	一度に	*2
	いつ	いつ	3
	いっしょうけんめい	一生懸命	24
	いっしょに	一緒に	8
	いってらっしゃい	行ってらっしゃい	9
	いつも	いつも	7
	いぬ	犬	6
	いま	今	12
	います	います	5
	いみ	意味	23
	いもうと	妹・妹さん	6
	いらっしゃいませ	いらっしゃいませ	13

	いる	要る	*3
	いれます	入れます	*2
	いれます	入れます（ミルクを）	21
	いろ	色	17
	いろいろ	いろいろ	21
	いんたーねっと	インターネット	*1
	いんど	インド	1
う	うえ	上	5
	うえーとれす	ウエートレス	12
	うけつけ	受付	24
	うけます	受けます（テストを）	22
	うしろ	後ろ	5
	うすい	薄い	6
	うた	歌	10
	うたいます	歌います（歌を）	11
	うち	うち	3
	うみ	海	25
	うります	売ります	17
	うんてん	運転（車の）	23
	うんてんめんきょしょう	運転免許証	*3
	う～ん	う～ん	23
	うんどう	運動	27
え	え	絵	11
	えあこん	エアコン	20
	えいが	映画	8
	えいご	英語	8
	ええ	ええ	6
	えき	駅	5
	えきいん	駅員	9
	えん	円	24
	えん	～円	12
	えんぴつ	えんぴつ	30
お	おいしい	おいしい	6
	おおきい	大きい	6
	おおぜい	おおぜい	7
	おーとばい	オートバイ	12
	おおやさん	大家（大家さん）	29
	おかえりなさい	お帰りなさい	9
	おかし	お菓子	29
	おかね	お金	13
	おきます	起きます	*1/16

189

	おくります	送ります	23
	おさきに	お先に	18
	おさけ	お酒	4
	おしえます	おしえます	23
	おします	押します	23
	おすし	おすし	10
	おせわになりました	お世話になりました	21
	おそい	遅い	6
	おそく	遅く	21
	おちゃ	お茶	4
	おつり	おつり	12
	おてら	お寺	14
	おとうと	弟	17
	おとこ	男	1
	おととい	おととい	27
	おなか	おなか	14
	おにいさん	お兄さん	6
	おねがいします	お願いします	12
	おふろ	おふろ	18
	おべんとう	お弁当	＊2
	おべんとう	お弁当	30
	おぼえます	覚えます	22
	おみやげ	おみやげ	9
	おもい	重い	6
	おもう	思う	29
	おもしろい	おもしろい	6
	およぎます	泳ぎます	24
	おります	降ります	18
	おわります	終わります	4
	おんがく	音楽	10
	おんせん	温泉	27
	おんな	女	1
か	か	～か	1
	か	か（AかB）	13
	か	か（だれか）	15
	が	が（……が、）	13
	かーてん	カーテン	25
	かーど	カード	22
	かい	～回	＊2
	かいぎ	会議	4
	がいこく	外国	24

かいしゃ	会社	3
かいます	買います	4
かいもの	買い物	4
かえします	返します	22
かえます	かえます（〜にかえます）	24
かえります	帰ります	3
かかります	かかります（時間が）	22
かきます	書きます	4
がくせい	学生	1
がくせいしょう	学生証	*3
かけます	かけます（かぎを）	21
かけます	かけます（電話を）	16
かけます	かけます（めがねを）	17
かさ	かさ	2
かし	菓子	29
かします	貸します	16
かぜ	かぜ（風邪）	7
かぞく	家族	6
かた	〜方	23
かたい	固い	19
かたかな	カタカナ	4
かたち	形	17
かたづけます	かたづけます	22
がつ	〜月	3
がっき	楽器	10
がっこう	学校	1
かばん	かばん	2
かびん	花びん	15
かぶります	かぶります	17
かみ	紙	8
かみがながい	髪が長い	6
かめら	カメラ	6
から	から（〜から）	4
から	から（……から。）	10
からおけ	カラオケ	11
かります	借ります	16
かるい	軽い	6
かれんだー	カレンダー	3
かわいい	かわいい	10
かんがえる	考える	26
かんこく	韓国	1

191

	かんじ	漢字	9
	かんたん	簡単	9
	がんばってください	がんばってください	26
き	き	木	5
	きいろい	黄色い	6
	きかい	機械	8
	きかん	期間	*3
	ききます	聞きます（先生に）	23
	きこく	帰国	25
	ぎたー	ギター	10
	きたない	汚い	19
	きっさてん	喫茶店	5
	きって	切手	13
	きっと	きっと	29
	きっぷ	切符	8
	きのう	昨日	3
	きびしい	きびしい	7
	きます	来ます	3
	きます	着ます	17
	きみ	君	28
	きめる	決める	26
	きゃく	客	12
	きゃんぷ	キャンプ	*1
	きゃんぷ	キャンプ	24
	きゅうしゅう	九州	28
	ぎゅうにゅう	牛乳	5
	きょう	今日	3
	きょうかしょ	教科書	2
	きょうしつ	教室	5
	きょうと	京都	3
	きょねん	去年	3
	きらい	きらい	10
	きります	切ります	8
	きれい	きれい	7
	きをつけて	気をつけて	9
	きんえん	禁煙	21
	ぎんこう	銀行	3
	ぎんざ	銀座	12
く	く	～区	17
	くすり	薬	7
	ください	ください	13

	くだもの	果物	10
	くつ	くつ	2
	くに	国	6
	くらい／ぐらい	～くらい／～ぐらい	18
	くらす	クラス	1
	ぐるーぷ	グループ	*1
	くるま	車	5
	くろい	黒い	6
	くん	～君	*4
け	けいさん	計算	*4
	けーき	ケーキ	5
	けーきや	ケーキ屋	5
	けさ	今朝	3
	けしごむ	けしゴム	20
	けします	消します（テレビを）	20
	けっこうです	けっこうです	14
	けっこんします	結婚します	14
	けっせきする	欠席する	28
	けんがくする	見学する	30
	げんき	元気	7
こ	こ	個	13
	ご	ご（両親）	17
	こいびと	恋人	9
	こうえん	公園	5
	こうぎ	講義	23
	こえ	声	11
	こーひー	コーヒー	4
	こーら	コーラ	12
	ここ	ここ	5
	ごご	午後	4
	ごぜん	午前	16
	ごぜんちゅう	午前中	16
	こちら	こちら	6
	ごつごう	ご都合	29
	ことし	今年	3
	この	この	2
	このあいだ	この間	9
	ごはん	ご飯	4
	こぴー	コピー	25
	ごみばこ	ゴミ箱	5
	ごるふ	ゴルフ	23

	これ	これ	2
	これから	これから	8
	ごろ	ごろ（〜ごろ）	18
	こわす	こわす	*3
	こんげつ	今月	3
	こんさーと	コンサート	22
	こんしゅう	今週	3
	こんど	今度	8
	こんどの	今度の（日曜日）	15
	こんにちは	こんにちは	8
	こんばん	今晩	12
	こんぴゅーたー	コンピューター	12
	こんろ	コンロ	*2
	こんや	今夜	29
さ	さあ	さあ	9
	さい	〜歳	1
	さいふ	さいふ	5
	さかな	魚	10
	さくぶん	作文	20
	さくら	さくら	7
	さけ（おさけ）	酒	4
	さしみ	さしみ	10
	さつ	冊（〜冊）	13
	さっかー	サッカー	10
	さっき	さっき	7
	ざっし	雑誌	6
	さとう	さとう	*2
	さとう	砂糖	22
	さびしい	さびしい	25
	さむい	寒い	6
	さよなら（さようなら）	さよなら（さようなら）	9
	さら	皿	26
	さわります	さわります（機械に）	21
	さんどいっち	サンドイッチ	13
	ざんねん	残念	21
	さんふらんしすこ	サンフランシスコ	*1
	さんぽする	散歩する	14
し	じ	字	8
	じ	〜時	3
	しーでぃー	ＣＤ	27
	じぇいあーる	ＪＲ（ジェイアール）	3

	しお	しお	*2
	しお	塩	22
	しか	しか（～しか～ない）	27
	しかたがありません	しかたがありません	22
	じかん	時間	22
	じかんがあります	時間があります	22
	しけん	試験	20
	しごと	仕事	4
	じしょ	辞書	2
	じしん	地震	*1
	しずか	静か	7
	した	下	5
	しっています	知っています	23
	しつれいします	失礼します	18
	じてんしゃ	自転車	5
	じどうしゃ	自動車	5
	しにます	死にます	16
	しぶや	渋谷	3
	じぶん	自分	28
	しまる	閉まる	*3
	じむ	事務	1
	じむしつ	事務室	5
	しめます	閉めます	16
	じゃ	じゃ	9
	じゃあ	じゃあ	8
	しゃーぷぺんしる	シャープペンシル	13
	しゃしん	写真	6
	しゃちょう	社長（社長さん）	29
	しゃつ	シャツ	12
	しゃわー	シャワー	15
	じゅーす	ジュース	6
	じゅうしょ	住所	22
	しゅうまつ	週末	25
	じゅぎょう	授業	4
	じゅく	塾	*4
	しゅくじつ	祝日	*4
	しゅくだい	宿題	27
	しゅっせきする	出席する	28
	しゅっちょう	出張	22
	しゅみ	趣味	25
	じゅんびします	準備します	22

	じょうず	上手	11
	しょうせつ	小説	29
	じょうぶ	じょうぶ	19
	しょくじ	食事	8
	しょるい	書類	25
	しらせます	知らせます	13
	しらべる	調べる	30
	しろい	白い	6
	じん	〜人	1
	しんかんせん	新幹線	3
	じんじゃ	神社	14
	しんじゅく	新宿	3
	しんせつ	親切	7
	しんぱいします	心配します	21
	しんぱいです	心配です	*1
	しんぶん	新聞	12
す	すいえい	水泳	23
	すいます	吸います（たばこを）	4
	すーぱー	スーパー	4
	すかーと	スカート	17
	すき	すき	10
	すきー	スキー	23
	すぐ	すぐ	22
	すこし	少し	8
	すし（おすし）	すし	10
	すずしい	涼しい	6
	ずっと	ずっと	*4
	すてーき	ステーキ	15
	すてます	捨てます	21
	すにーかー	スニーカー	17
	すぱげってぃー	スパゲッティー	15
	すばらしい	すばらしい	30
	すぷーん	スプーン	8
	すぽーつ	スポーツ	10
	ずぼん	ズボン	17
	すみません	すみません	5
	すんでいます	住んでいます	17
せ	せいかつ	生活	24
	ぜいきん	ぜい金	*3
	せーたー	セーター	12
	せがたかい	背が高い	6

	ぜったい	ぜったい	21
	せつめいします	説明します	8
	ぜひ	ぜひ	23
	せまい	せまい	6
	せん	千	12
	せんげつ	先月	3
	せんしゅう	先週	3
	せんせい	先生	1
	ぜんぜん	ぜんぜん	13
	せんたくします	洗濯します	21
	ぜんぶで	ぜんぶで	13
そ	ぞう	ぞう	6
	そうしましょう	そうしましょう	23
	そうじ	掃除	22
	そうです	そうです	1
	そうですか	そうですか	1
	そうですね	そうですね	19
	そうですねえ	そうですねえ	26
	そく	〜足	13
	そくたつ	速達	8
	そこ	そこ	5
	そして	そして	4
	そつぎょう	卒業	25
	その	その	2
	そのとき	そのとき	27
	そば	そば	5
	そら	空	24
	それ	それ	2
	それから	それから	13/15
	それに	それに	25
	それはいけませんね	それはいけませんね	14
	そんなことはありません	そんなことはありません	28
た	たい	たい（〜たい）	14
	だい	第〜	*3
	だい	〜台	13
	たいしかん	大使館	22
	だいじょうぶです	だいじょうぶです	7
	だいすき	大すき	25
	たいせつ	大切	*3
	たいそう	体操	25
	だいたい	だいたい	24

	たいてい	たいてい	27
	たいへんです	大変です	24
	たいむかーど	タイムカード	21
	たかい	高い	6
	だから	だから	＊4
	たくさん	たくさん	13
	たくしー	タクシー	22
	だけ	だけ（〜だけ）	14
	だけ	だけ（少しだけ）	25
	だします	出します（お金を）	15
	だします	出します（手紙を）	8
	ただいま	ただいま	9
	たち	たち（私たち）	21
	たちます	立ちます	16
	たのしい	楽しい	6
	たばこ	たばこ	4
	たぶん	たぶん	29
	たべます	食べます	4
	たべもの	食べ物	9
	たまご	卵	4
	だめです	だめです	20
	だれ	だれ	1
	だれか	だれか	15
	だれでも	だれでも	＊3
	だれも	だれも	12
	だんす	ダンス	10
ち	ちいさい	小さい	6
	ちか	地下	26
	ちかい	近い	6
	ちがいます	ちがいます	＊2
	ちかく	近く	5
	ちかてつ	地下鉄	3
	ちこく	遅刻	21
	ちず	地図	9
	ちち	父	17
	ちゃわん	ちゃわん	8
	ちゅうごく	中国	1
	ちゅうしゃじょう	駐車場	24
	ちょこれーと	チョコレート	10
	ちょっと	ちょっと	7
	ちょっと	ちょっと……	29

	ちょっといいですか	ちょっといいですか	23
つ	つ	～つ	13
	つかいます	使います	8
	つかれます	つかれます	9
	つぎ	次（次の週）	27
	つきます	着きます	18
	つくえ	机	5
	つくります	作ります	6
	つけます	つけます（テレビを）	20
	つごう	都合	29
	つめたい	冷たい	6
て	て	手	8
	てーぷれこーだー	テープレコーダー	12
	でかけます	出かけます	18
	てがみ	手紙	4
	できます	（卵焼きが）できます	＊2
	できます	できます	23
	てすと	テスト	8
	てにす	テニス	10
	でぱーと	デパート	4
	でます	出ます	18
	でも	でも	9
	てら（おてら）	寺	14
	てれび	テレビ	4
	てれびげーむ	テレビゲーム	27
	てんいん	店員	9
	てんき	天気	8
	でんしゃ	電車	3
	でんたく	電卓	＊4
	てんぷら	てんぷら	23
	でんわ	電話	5
	でんわします	電話します	14
と	と	と（人と）	15
	と	～と（話す）	21
	ど	～度	27
	どあ	ドア	16
	といれ	トイレ	5
	どう	どう	7
	どういたしまして	どういたしまして	30
	どうして	どうして	10
	どうしましたか	どうしましたか	7

	どうぞ	どうぞ	14
	どうぞよろしく	どうぞよろしく	1
	どうですか	どうですか（～は）	29
	どうぶつえん	動物園	30
	どうもすみません	どうもすみません	7
	どうやって	どうやって	8
	とおい	遠い	6
	ときどき	ときどき	13
	どくしん	独身	17
	とけい	時計	12
	どこ	どこ	3
	どこか	どこか	24
	どこも	どこも	12
	ところ	ところ（所）	19
	としょかん	図書館	27
	どちら	どちら	8
	とても	とても	7
	とどく	届く	30
	となり	となり	5
	どの	どの	2
	とびます	飛びます	24
	とまります	止まります	*1
	とめます	止めます（車を）	21
	ともだち	友だち	8
	とり	鳥	5
	とりにく	とり肉	*1
	とります	取ります	*2
	とります	とります（写真を）	14
	どる	ドル	24
	どれ	どれ	2
	どれくらい	どれくらい	22
	どんな	どんな	7
な	ないふ	ナイフ	8
	なか	中	5
	ながい	長い	6
	なかなか	なかなか（～ない）	24
	なくします	なくします（パスポートを）	21
	なつ	夏	*4
	なっとう	納豆	27
	なつやすみ	夏休み	24
	など	など	5

	なにも	何も	12
	なにもありません	何もありません	5
	なまえ	名前	8
	なら	奈良	9
	なれます	慣れます	24
	なんじ	何時	3
に	にぎやか	にぎやか	7
	にく	肉	4
	にち	～日	3
	にっき	日記	18
	にほんご	日本語	1
	にほんりょうり	日本料理	40
	にもつ	荷物	8
	にゅうかん	入管	29
	にゅーす	ニュース	*1/15
	にん	～人	13
	にんぎょう	人形	15
	にんげん	人間	*4
ね	ね	～ね	6
	ねくたい	ネクタイ	17
	ねこ	ねこ	5
	ねつ	熱	22
	ねます	寝ます	*1/18
	ねむい	ねむい	24
の	のーと	ノート	2
	のみます	飲みます	4
	のみます	飲みます（薬を）	22
	のみもの	飲み物	25
	のります	乗ります	18
は	ぱーてぃー	パーティー	8
	はい	～杯	13
	はいります	入ります（部屋に）	21
	はいります	入ります（おふろに）	18
	はがき	はがき	13
	はきます	はきます	17
	はこ	箱	30
	はこね	箱根	30
	はこびます	運びます	8
	はさみ	はさみ	8
	はし	はし	8
	はじまります	始まります	4

	はじめまして	はじめまして	1
	ばしょ	場所	30
	はしります	走ります	21
	ばす	バス	3
	ばすてい	バス停	5
	ぱすぽーと	パスポート	21
	はたらきます	働きます	23
	はな	鼻	6
	はな	花	7
	はなします	話します	8
	ばなな	バナナ	10
	はなや	花屋	5
	はは	母	11
	はやい	速い	6
	はやい	早い	22
	はやく	早く	16
	はらいます	払います	20
	はります	はります(切手を)	18
	はる	春	29
	はれる	晴れる	29
	はん	半（～時半)	3
	ぱん	パン	4
	はんかち	ハンカチ	5
	はんこ	はんこ	*3
	はんさむ	ハンサム	7
	ぱんだ	パンダ	30
	はんばーがー	ハンバーガー	13
	ぱんや	パン屋	5
ひ	ひ	火	*2
	ぴあの	ピアノ	24
	びーる	ビール	4
	ひき／ぴき	～匹	13
	ひきだし	引き出し	12
	ひきます	ひきます（ギターを)	10
	ひくい	低い	6
	ひこうき	飛行機	3
	ひだり	左	5
	ひつよう	必要	*3
	びでお	ビデオ	8
	ひと	人	1
	ひま	ひま	7

	びょういん	病院	3
	ひらがな	ひらがな	4
	ひる	昼	3
	びる	ビル	7
	ひるごはん	昼ご飯	4
	ひるね	昼寝	27
	ひるやすみ	昼休み	4
	ひろい	広い	6
	ぴんぽん	ピンポン	10
ふ	ふぁっくす	ＦＡＸ	8
	ふぉーく	フォーク	8
	ふく	服	17
	ふじさん	富士山	6
	ぶたにく	豚肉	*1
	ふね	船	27
	ふべん	不便	9
	ふゆ	冬	29
	ふらいぱん	フライパン	*2
	ふらんす	フランス	1
	ふる	降る	29
	ふるい	古い	6
	ふん	～分	3
へ	へえ	へえ	8
	へた	下手	11
	へや	部屋	5
	へん	へん	*4
	ぺん	ペン	20
	へんきゃく	返却	*3/20
	べんきょうします	勉強します	4
	へんじ	返事	18
	べんとう（おべんとう）	弁当	30
	べんり	便利	7
ほ	ぼうし	ぼうし	17
	ぼーりんぐ	ボーリング	27
	ぼーる	ボール	*2
	ぼーるぺん	ボールペン	2
	ほかにも	ほかにも	15
	ぼく	ぼく	28
	ぽけっと	ポケット	*4
	ほしい	ほしい	12
	ほしょうにん	保証人	9

203

	ぽすと	ポスト	＊3
	ほっかいどう	北海道	14
	ほっと	ホット	13
	ほてる	ホテル	5
	ほん	本	2
	ほん／ぼん／ぽん	本（～本）	13
	ほんとうに	ほんとうに	8
	ほんや	本屋	17
ま	まい	枚	13
	まいにち	毎日	3
	まいばん	毎晩	25
	まえ	前	5
	まえ	前（～年前）	27
	まきます	まきます	＊2
	まじめ	まじめ	19
	まずい	まずい	6
	まぜます	まぜます	＊2
	また	また	＊2/21
	まだ	まだ	20
	まち	町	6
	まちます	待ちます	16
	まで	まで（～まで）	4
	までに	までに	22
	まど	窓	21
	まどぐち	窓口	24
	まもる	まもる	＊1
	まれーしあ	マレーシア	1
	まん	万	12
み	みーてぃんぐ	ミーティング	4
	みかん	みかん	10
	みぎ	右	5
	みぎて	右手	8
	みじかい	短い	6
	みずうみ	湖	19
	みせ	店	7
	みせる	見せる	30
	みつかります	見つかります	9
	みどりいろ	緑色	17
	みなさん	みなさん	27
	みます	見ます	4
	みるく	ミルク	5

	みんな	みんな（みなさん）	13
む	むかえます	迎えます	15
	むずかしい	難しい	7
	むすこ	息子	29
	むすめ	娘	29
め	めがおおきい	目が大きい	6
	めがね	めがね	17
も	もう	もう	20
	もうしこむ	申し込む	＊3
	もうしわけありません	もうしわけありません	22
	もうすぐ	もうすぐ	20
	もちます	持ちます	8
	もちます	持ちます［所有］	17
	もっていく	持っていく	30
	もっています	持っています	17
	もってくる	持ってくる	29
	もの	もの（あまいもの）	10
	もんだい	問題	＊1
や	や	〜屋	5
	やきます	焼きます	＊2
	やくそく	約束	28
	やさい	野菜	5
	やさしい	やさしい	7
	やすい	安い	6
	やすみ	休み	3
	やすみじかん	休み時間	4
	やすみます	休みます（アルバイトを）	21
	やま	山	6
	やめます	やめます（会社を）	21
	やります	やります	23
	やわらかい	やわらかい	19
ゆ	ゆうびんきょく	郵便局	5
	ゆうべ	ゆうべ	4
	ゆうめい	有名	7
	ゆっくり	ゆっくり	＊2
よ	よ	〜よ	8
	ようび	〜曜日	3
	ようふく	洋服	17
	よーろっぱ	ヨーロッパ	＊1
	よく	よく（行く）	13
	よく	よく（働く）	30

	よこ	横	5
	よこはま	横浜	28
	よせみてこうえん	ヨセミテ公園	*1
	よびます	呼びます	16
	よみます	読みます	4
	よやく	予約	25
	よる	夜	3
	よろしくおねがいします	よろしくおねがいします	28
ら	らーめん	ラーメン	10
	らいしゅう	来週	3
	らいげつ	来月	3
	らいねん	来年	3
り	りょうしん	両親	17
	りょうり	料理	6
	りょこう	旅行	8
	りんご	りんご	5
れ	れいぞうこ	冷蔵庫	5
	れすとらん	レストラン	4
	れぽーと	レポート	8
	れんらくします	連絡します	8
ろ	ろーまじ	ローマ字	23
	ろびー	ロビー	20
わ	わあっ	わあっ	6
	わーぷろ	ワープロ	8
	わいん	ワイン	4
	わかい	若い	7
	わかりました	わかりました	17
	わかります	わかります	*1/23
	わすれます	忘れます	21
	わたし	私	1
	わります	わります	*2
	わるい	悪い	6

◆録音　　：岩崎有子、駒野貴紀、早坂　恵、山本浩司
◆イラスト：ヒューマン・アカデミー教材開発室
　　　　　　島村真司、川戸敬子

にほんご90日(にちだいかん) 第1巻
90 Days of Japanese Language ［1］

2000年2月10日 初版発行　　2025年4月20日 第12版発行

著者　　：ヒューマン・アカデミー教材開発室(きょうざいかいはつしつ)©
　　　　　星野恵子(ほしのけいこ)／辻 和子(つじかずこ)／村澤慶昭(むらさわよしあき)©
発行者　：片岡　明
印刷所　：大野印刷株式会社
発行所　：株式会社ユニコム
　　　　　Tel:042-796-6367
　　　　　〒194-0002 東京都町田市南つくし野2−13−25
　　　　　https://www.unicom-lra.co.jp

Printed in Japan

にほんご90日
①
『形の練習』『文の練習』『読み物』答え

第1課
形の練習
〔1〕
1. 私はアメリカ人です。
2. 私は学生です。
3. 私は23歳です。

〔2〕
1. 私は日本語学校の学生です。
2. あの人は韓国のシンさんです。
3. あの人は事務の人です。

〔3〕
1. あの人はリンさんですか。
2. あの人は日本語の先生ですか。
3. あの人は事務の人ですか。
4. あなたの先生は女の先生ですか。
5. あなたのクラスはCクラスですか。

〔4〕
1. 私はアメリカ人ではありません。
2. 私はキムではありません。
3. あの人は先生ではありません。
4. Cクラスの先生は男の先生ではありません。
5. 私の先生は男の先生ではありません。

〔5〕
1. トムさんはアメリカ人です。ブラウンさんもアメリカ人です。
2. パクさんはCクラスの学生です。サリさんもCクラスの学生です。
3. 私は25歳です。リンさんも25歳です。

文の練習
〔1〕
1. はい、韓国人です。
2. はい、事務の人です。
3. いいえ、事務の人ではありません。
4. いいえ、Aクラスの学生ではありません。
5. いいえ、青木先生ではありません。
6. はい、森先生です。

〔2〕
(1)
1. はい、Aクラスの学生です。
2. いいえ、アメリカ人ではありません。インド人です。
3. いいえ、Cクラスの学生ではありません。
4. いいえ、男の先生ではありません。女の先生です。

(2)
1. 青木先生です。
2. サリさんです。
3. リンさんです。
4. リンさんです。
5. サリさんです。

第2課
形の練習
〔1〕
1. これは辞書です。
2. これはヤンさんの教科書です。
3. それはボールペンです。
4. それは先生のかばんです。
5. あれはノートです。
6. あれはだれのかさですか。

〔2〕
1. 先生の辞書はこれです。
2. シンさんのボールペンはそれです。
3. ブラウンさんのかさはあれです。
4. あなたのかばんはどれですか。

〔3〕
1. この本は日本語の教科書です。
2. そのかばんはサリさんのかばんです。
3. あのノートはヤンさんのノートです。
4. そのかさはだれのかさですか。
5. この辞書はブラウンさんのです。
6. あのボールペンはだれのですか。

文の練習
〔1〕
A
1. あれはヤンさんのかばんです。
2. それはあなたのかさです。
3. これは私の教科書です。

B
1. ヤンさんのかばんはあれです。
2. あなたのかさはそれです。
3. 私の教科書はこれです。
4. パクさんのかさはこれです。

〔2〕
1. そのかさはブラウンさんのかさです。
   そのかさはブラウンさんのです。
2. あの本は先生の本です。
   あの本は先生のです。
3. その辞書はサリさんの辞書です。
   その辞書はサリさんのです。
4. このボールペンはあなたのボールペンですか。
   このボールペンはあなたのですか。

〔3〕
A
1. このノートはだれのですか。
2. そのボールペンはだれのですか。
3. あの教科書はだれのですか。

B
1. あれはだれのかさですか。

2. それはだれのボールペンですか。
3. これはだれのかばんですか。

第3課
形の練習

〔1〕
1. 8時30分
2. 4時
3. 8時20分
4. 11時40分

〔2〕
1. くじじゅっぷんです。→9時10分です。
2. しちじよんじゅうごふんです。→7時45分です。
3. よじにじゅっぷんです。→4時20分です。
4. くじさんじゅっぷんです。（くじはんです）→9時30分です。（9時半です）
5. じゅうにじじゅうごふんです。→12時15分です。

〔3〕
1. 帰りました
2. 来ます
3. 行きました
4. 行きました

文の練習

〔1〕
1. ブラウンさんは昨日銀行へ行きました。
2. シンさんは来週京都へ行きます。
3. 青木先生は明日の朝銀行へ行きます。
4. サリさんは来年インドへ帰ります。

〔2〕
1. いいえ、行きません。
2. はい、来ます。
3. はい、行きました。
4. いいえ、行きません。
5. いいえ、来ませんでした。

〔3〕
1. 地下鉄で行きます。
2. 新幹線で行きました。
3. 飛行機で来ました。
4. 歩いて来ます。

第4課
形の練習

〔1〕
1. 飲みません→飲みました→飲みませんでした
2. 読みません→読みました→読みませんでした
3. 書きません→書きました→書きませんでした
4. 買いません→買いました→買いませんでした
5. 見ません→見ました→見ませんでした

〔2〕

1. いいえ、吸いません。
2. はい、食べます。
3. はい、飲みます。
4. いいえ、食べませんでした。
5. はい、見ました。
6. いいえ、勉強しませんでした。

〔3〕
1. A：授業は何時から何時までですか。
   B：1時10分から5時までです。
2. A：昼休みは何時から何時までですか。
   B：12時から1時10分までです。
3. A：休み時間は何時から何時までですか。
   B：10時40分から11時までです。

〔4〕
1. ビールとワインを飲みます
2. ボールペンとノートを買います。
3. ひらがなとカタカナを書きます。

文の練習

〔1〕
1. 本を読みます。
2. たばこを吸います。
3. テレビを見ます。
4. 日本語を勉強します。
5. パンを食べます。

〔2〕
1. A：昨日の午後は何をしましたか。
   B：仕事をしました。
   A：どこでしましたか。
   B：会社でしました。
2. A：ゆうべは何をしましたか。
   B：手紙を書きました。
   A：どこで書きましたか。
   B：うちで書きました。
3. A：明日何をしますか。
   B：テレビを見ます。
   A：どこで見ますか。
   B：うちで見ます。

第5課
形の練習

〔1〕
1. 銀行の右にスーパーがあります。
2. 自動車の前に自転車があります。
3. パン屋の後ろに公園があります。

〔2〕
1. 車の中に人がいます。
2. 木の上に鳥がいます。
3. 木の下にねこがいます。

文の練習
〔1〕
1. A：郵便局はどこにありますか。
   B：駅の前にあります。
2. A：青木先生はどこにいますか。
   B：教室にいます。
3. A：トイレはどこにありますか。
   B：あそこにあります。
4. A：シンさんはどこにいますか。
   B：事務室にいます。
5. A：サリさんはどこにいますか。
   B：リンさんの後ろにいます。

〔2〕
1. 銀行はどこにありますか。駅の前にあります。／郵便局のとなりにあります。
2. 郵便局はどこにありますか。
   駅の前にあります。／デパートのとなりにあります。／銀行のとなりにあります。
3. デパートはどこにありますか。
   駅の前にあります。／郵便局のとなりにあります。／花屋のとなりにあります。
4. スーパーはどこにありますか。病院の前にあります。

〔3〕
1. A：すみません。花屋はどこにありますか。
   B：デパートのとなりです。
2. A：すみません。銀行はどこにありますか。
   B：駅の前です。
3. A：すみません。喫茶店はどこにありますか。
   B：ホテルの中です。

〔4〕
1. A：あそこに学生がいますね。あの人はだれですか。
   B：あれはサリさんです。
2. A：あそこに女の学生がいますね。あの人はだれですか。
   B：あれはコウさんです。
3. A：あそこに男の人がいますね。あの人はだれですか。
   B：あれはブラウンさんです。

第6課
形の練習
〔1〕
1. アメリカは広いです。
2. リンさんのかばんは軽いです。
3. 事務室の人は忙しいです。
4. 日本料理はおいしいです。
5. この雑誌は薄いです。
6. 日本の8月は暑いです。
7. 新幹線は速いです。
8. この本は難しいです。
9. このカメラは高いです。
10. 日本語の勉強はおもしろいです。

〔2〕
1. ヤンさんの部屋は広くないです。

2. 先生のかばんは重くないです。
3. 日本のカメラは安くないです。
4. この本はおもしろくないです。
5. このカメラはよくないです。

〔3〕
1. 富士山は高い山です。
2. 中国は大きい国です。
3. ヤンさんはおもしろい人です。
4. それはおいしいケーキです。
5. 東京はどんな町ですか。

〔4〕
1. 妹は髪が長いです。
2. 兄は頭がいいです。
3. 妹は目が大きいです。
4. 兄は足が長いです。
5. ぞうは鼻が長いです。

〔5〕
1. 短い
2. 悪い
3. 寒い
4. 高い
5. 遅い
6. 高い

文の練習

〔1〕
1. 新幹線は速いです。
   バスは遅いです。
2. 自動車は高いです。
   自転車は安いです。
3. お茶は熱いです。
   ジュースは冷たいです。
4. Aさんは背が高いです。
   Bさんは背が低いです。

〔2〕
1. はい、おいしいです。
2. いいえ、よくないです。
3. はい、重いです。
4. いいえ、高くないです。
5. いいえ、忙しくないです。

〔3〕
1. あの大きいのです。
2. あの新しいのです。
3. あの厚いのです。

第7課
形の練習

〔1〕
1. ヤンさんは元気です。

2. となりの部屋は静かです。
3. 青木先生はきれいです。
4. サリさんは親切です。
5. スーパーは便利です。
〔2〕
1. 駅は静かではありません。
2. あの会社は有名ではありません。
3. 青木先生はひまではありません。
4. あの店の人は親切ではありません。
5. ここは便利ではありません。
〔3〕
1. 東京は静かですか。
2. 富士山は有名ですか。
3. 教室はきれいですか。
4. 森先生はハンサムですか。
5. 会社はどうですか。
〔4〕
1. 東京はにぎやかな町です。
2. 富士山は有名な山です。
3. さくらはきれいな花です。
4. シンさんのお兄さんはハンサムな人です。
5. 青木先生はどんな先生ですか。
〔5〕
1. このカメラはとても高いです。
2. ヤンさんはとても元気です。
3. そのお茶はあまり熱くないです。
4. この町はあまり便利ではありません。
5. 兄はあまり背が高くないです。

文の練習
〔1〕
1. ヤンさんは元気です。
2. 東京はにぎやかです。
3. 富士山は有名です。
4. サリさんは親切です。
〔2〕
1. はい、きれいです。
2. いいえ、有名ではありません。
3. はい、親切です。
4. いいえ、ひまではありません。
5. いいえ、便利ではありません。
〔3〕
1. にぎやかな町です。
2. 静かです。
3. 親切な先生です。
4. ひまです。
5. きれいな花です。
〔4〕
1. あまり重くないです。

2. とてもきれいです。
3. あまりよくないです。
4. とても有名な人です。
5. ちょっと難しいです。
6. とてもきびしい先生です。

第8課
形の練習
〔1〕
1. さむい→さむかった
　　↓　　　　↓
　　さむくない→さむくなかった
2. いい→よかった
　　↓　　　　↓
　　よくない→よくなかった
3. おもしろい→おもしろかった
　　↓　　　　　　↓
　　おもしろくない→おもしろくなかった
4. わるい→わるかった
　　↓　　　　↓
　　わるくない→わるくなかった
5. 大きい→大きかった
　　↓　　　　↓
　　大きくない→大きくなかった
6. はやい→はやかった
　　↓　　　　↓
　　はやくない→はやくなかった
7. やさしい→やさしかった
　　↓　　　　↓
　　やさしくない→やさしくなかった
8. あたらしい→あたらしかった
　　↓　　　　　↓
　　あたらしくない→あたらしくなかった
9. おいしい→おいしかった
　　↓　　　　↓
　　おいしくない→おいしくなかった
10. むずかしい→むずかしかった
　　↓　　　　　↓
　　むずかしくない→むずかしくなかった

〔2〕
1. ひらがなで名前を書きます。
2. 日本語で手紙を書きます。
3. ワープロでレポートを書きます。
4. 右手で握手をします。
5. 自動車で荷物を運びます。
6. ナイフでりんごを切ります。
7. 電話で話します。
8. 速達で手紙を出します。
9. ビデオで説明します。

10. 飛行機で大阪へ行きます。

文の練習
〔1〕
1. 先週は忙しかったです。
2. おとといは暖かったです。
3. 昨日のパーティーは楽しくなかったです。
4. 去年の旅行はよかったです。
5. 昨日の天気はあまりよくなかったです。

〔2〕
1. はい、寒かったです。
2. いいえ、難しくなかったです。
3. いいえ、おいしくなかったです。
4. はい、熱かったです。
5. いいえ、よくなかったです。

〔3〕
1. とてもおもしろかったです。
2. 少し寒かったです。
3. あまり難しくなかったです。
4. とてもおいしかったです。
5. とてもよかったです。

〔4〕
1. 飛行機で行きました。
2. 自動車で運びました。
3. 日本語で書きます。
4. 右手で書きます。
5. FAXで連絡します。

第9課
形の練習
〔1〕
1. しずかです→しずかでした
    ↓   ↓
    しずかではありません→しずかではありませんでした
2. きれいです→きれいでした
    ↓   ↓
    きれいではありません→きれいではありませんでした
3. にぎやかです→にぎやかでした
    ↓   ↓
    にぎやかではありません→にぎやかではありませんでした
4. げんきです→げんきでした
    ↓   ↓
    げんきではありません→げんきではありませんでした
5. しんせつです→しんせつでした
    ↓   ↓
    しんせつではありません→しんせつではありませんでした

6. かんたんです→かんたんでした
　　↓　　　　　　　　↓
　かんたんではありません→かんたんではありませんでした

〔2〕
1. パーティーで先生に会います。
2. 新宿で保証人に会います。
3. スーパーでサリさんに会いました。
4. 銀行で会社の人に会いました。
5. うちの前でとなりの人に会いました。

〔3〕
1. パーティーは楽しかったです。でも、つかれました。
2. 私のアパートは広いです。でも、高いです。
3. リンさんはおいしいケーキを作りました。でも、ヤンさんは食べませんでした。
4. この店の店員は親切です。でも、料理はおいしくないです。
5. 今日は天気がいいです。でも、寒いです。

文の練習

〔1〕
1. この間のパーティーはにぎやかでした。
2. 昨日、となりの部屋は静かでした。
3. ゆうべ、さくらはきれいでした。
4. 昨日、田中さんは元気でした。
5. デパートの店員は親切でした。

〔2〕
1. はい、きれいでした。
2. いいえ、きれいではありませんでした。
3. いいえ、にぎやかではありませんでした。
4. はい、元気でした。
5. いいえ、親切ではありませんでした。

〔3〕
1. とても静かでした。
2. あまり元気ではありませんでした。
3. あまり親切ではありませんでした。
4. とても簡単でした。
5. 少し不便でした。

〔4〕（解答例）
1. おもしろいです。
2. 食べませんでした。
3. 不便です。
4. おいしくないです。
5. 親切でした。

第10課
形の練習

〔1〕
1. 私はスポーツがすきです。→私はスポーツがすきではありません。
2. 私は料理がすきです。→私は料理がすきではありません。
3. 私は音楽がすきです。→私は音楽がすきではありません。
4. 私は果物がすきです。→私は果物がすきではありません。

10

5. 私は日本の食べ物がすきです。→私は日本の食べ物がすきではありません。
〔2〕
1. 私は野菜がきらいです。→私は野菜がきらいではありません。
2. 私はりんごがきらいです。→私はりんごがきらいではありません。
3. 私は勉強がきらいです。→私は勉強がきらいではありません。
4. 私はビールがきらいです。→私はビールがきらいではありません。
5. 私は犬がきらいです。→私は犬がきらいではありません。
〔3〕
1. かわいいですから。
2. おいしくないですから。
3. きれいですから。
4. おいしいですから。
5. おもしろいですから。
6. きらいですから。
7. あまりすきではありませんから。
8. きらいですから。

文の練習
〔1〕
1. ブラウンさんは魚がきらいです。
2. シンさんはケーキがすきです。
3. 青木先生は犬がすきです。
4. ピエールさんは野菜がきらいです。
5. コウさんは勉強がきらいです。
〔2〕
1. はい、とてもすきです。
2. いいえ、あまりすきではありません。
3. はい、とてもすきです。
4. いいえ、すきではありません。
5. はい、とてもすきです。
6. いいえ、あまりすきではありません。
7. はい、すきです。
〔3〕
1. A：〇〇さんは、さしみを食べますか。
   B：はい、食べます。とてもすきです。
   A：そうですか。私は魚をあまり食べません。
   B：じゃ、何がすきですか。
   A：肉がすきです。
2. A：〇〇さんは、ギターをひきますか。
   B：はい、ひきます。とてもすきです。
   A：そうですか。私は楽器をあまりひきません。
   B：じゃ、何がすきですか。
   A：歌がすきです。
3. A：〇〇さんは、チョコレートを食べますか。
   B：はい、食べます。とてもすきです。
   A：そうですか。私はあまりあまいものを食べません。
   B：じゃ、何がすきですか。
   A：お酒がすきです。

読みもの 1　ケンさんの手紙
1. 東京にいます。
2. サンフランシスコにいます。
3. テレビやインターネットで東京のニュースがわかります。
4. 8月11日から8月16日までです。
5. 明日の朝、5時におきますから。

第11課
形の練習
〔1〕
1. ブラウンさんはテニスが上手です。→ブラウンさんはテニスが上手ではありません。
2. サリさんは料理が上手です。→サリさんは料理が上手ではありません。
3. ヤンさんは歌が上手です。→ヤンさんは歌が上手ではありません。
4. ピエールさんはサッカーが上手です。→ピエールさんはサッカーが上手ではありません。
5. 私は日本語が上手です。→私は日本語が上手ではありません。

〔2〕
1. 妹は料理が下手です。
2. 私はサッカーが下手です。
3. 母は歌が下手です。
4. 私はギターが下手です。
5. アントニオさんはピンポンが下手です。

文の練習
〔1〕
1. 私は料理がすきです。でも、あまり上手ではありません。
2. 私はスポーツがすきです。でも、あまり上手ではありません。
3. 私はダンスがすきです。でも、あまり上手ではありません。
4. 私は歌がすきです。でも、あまり上手ではありません。
5. 私は絵がすきです。でも、あまり上手ではありません。

〔2〕
1. ブラウンさんはテニスが上手です。
2. ピエールさんはサッカーが上手です。
3. ヤンさんはダンスが上手です。
4. サリさんは料理が上手です。
5. パクさんは絵が上手です。

〔3〕
1. はい、とても上手です。
2. いいえ、あまり上手ではありません。
3. いいえ、上手ではありません。
4. （解答例）はい。／いいえ、あまり上手ではありません。
5. （解答例）はい。／いいえ、あまり上手ではありません。

第12課
形の練習
〔1〕
1. 私はテープレコーダーがほしいです。
2. 私はかばんがほしいです。
3. あなたは何がほしいですか。

4. 私は友だちがほしいです。
〔2〕
1. せんえん
2. いちまんえん
3. さんびゃくえん
4. ろっぴゃくえん
5. はっぴゃくえん
6. さんびゃくさんじゅうろくえん
7. せんろっぴゃくよんじゅうごえん
8. いちまんはっせんえん
9. よんじゅうろくまんえん
10. はっぴゃくまんえん
〔3〕
1. 車はひゃくななじゅうごまんえんです。
2. ビールはさんびゃくはちじゅうえんです。
3. 新聞はひゃくにじゅうえんです。
4. 映画はせんはっぴゃくえんです。
5. セーターははっせんきゅうひゃくえんです。
〔4〕
1. だれもいません。
2. 何も買いません。
3. 何もありません。
4. だれも来ません。

文の練習
〔1〕
A
1. 私は車がほしいです。
2. 私は電話がほしいです。
3. 私はコーヒーがほしいです。
4. 私はコンピューターがほしいです。
5. 私はシャツがほしいです。
B
1. A：車はいくらですか。
   B：車は2,500,000（にひゃくごじゅうまん）円です。
2. A：電話はいくらですか。
   B：8,000（はっせん）円です。
3. A：コーヒーはいくらですか
   B：480（よんひゃくはちじゅう）円です。
4. A：コンピューターはいくらですか。
   B：309,000（さんじゅうまんきゅうせん）円です。
5. A：シャツはいくらですか。
   B：8,600（はっせんろっぴゃく）えんです。
〔2〕
1. ビールがほしいです。
2. 3万6千円です。
3. どこも行きません。
4. 友だちがほしいです。
5. 時計を買います。

6. 何も食べません。
7. だれも来ません。
8. だれもいません。
9. 辞書があります。
10. 何もありません。

第13課
形の練習
〔1〕
2. ふたつ　3. みっつ　4. よっつ　5. いつつ
6. むっつ　7. ななつ　8. やっつ　9. ここのつ　10. とお

〔2〕
1. みっつ（3個）　2. ひとつ　3. 1冊　4. 10枚　5. 5枚　6. 2本

〔3〕
1. 肉か魚を食べます。
2. 自転車かオートバイがほしいです。
3. 月曜日か火曜日に来ます。
4. 電話か手紙で知らせます。
5. 赤いのか黄色いのを買います。

文の練習
〔1〕
1. A：くつが何足ありますか。
   B：2足あります。
2. A：ビールを何本飲みましたか。
   B：3本飲みました。
3. A：犬が何匹いますか。
   B：2匹います。
4. A：バナナを何本買いましたか。
   B：3本買いました。
5. A：学生が何人いますか。
   B：3人います。

〔2〕
A
1. いいえ、あまり飲みませんでした。少し飲みました。
2. いいえ、あまりありません。少しあります。
3. いいえ、あまり勉強しませんでした。少し勉強しました。
B
1. いいえ、あまり見ません。ときどき見ます。
2. いいえ、あまり書きません。ときどき書きます。
3. いいえ、あまりかけません。ときどきかけます。

〔3〕
1. コーヒーを2杯ください。
2. サンドイッチをひとつください。
3. ハンバーガーをみっつ（3個）ください。
4. このボールペンを5本ください。
5. そのノートを4冊ください。
6. 80円切手を10枚ください。

〔4〕
1. りんごをみっつ（3個）ください。
2. サンドイッチをひとつください。
3. ノートを1冊ください。
4. はがきを10枚ください。
5. 切手を5枚ください。
6. シャープペンを2本ください。
7. りんごをふたつ（2個）と、みかんをみっつ（3個）ください。
8. このノートを2冊と、そのボールペンを3本ください。

第14課
形の練習
〔1〕
1. 私は北海道へ行きたいです。
2. 私は黒いくつを買いたいです。
3. 私はコーヒーを飲みたいです。
4. 私は友だちに会いたいです。

〔2〕
1. 私はパーティーへ行きたくないです。
2. 私はお酒を飲みたくないです。
3. 私はテレビを見たくないです。
4. 私は仕事をしたくないです。

文の練習
〔1〕（解答例）
1. はい、見たいです。／いいえ、見たくないです。
2. はい、吸いたいです。／いいえ、吸いたくないです。
3. はい、飲みたいです。／いいえ、飲みたくないです。
4. はい、買いたいです。／いいえ、買いたくないです。

〔2〕（解答例）
1. 私は京都へ行きたいです。
2. 私はビールを飲みたいです。
3. 私はサッカーをしたいです。
4. 母に会いたいです。

第15課
形の練習
〔1〕
1. スパゲッティーを食べに行きます。
2. テニスをしに行きます。
3. 音楽を聞きに行きます。
4. 友だちを迎えに行きます。
5. 手紙を出しに行きます。

〔2〕
1. デパートへかばんを買いに行きます。
2. アメリカへ英語を勉強しに行きました。。
3. 京都へ遊びに行きます。
4. 銀行へお金を出しに行きました。

〔3〕
1. 食べましょう。
2. 飲みましょう。
3. 帰りましょう。
4. 会いましょう。

文の練習
〔1〕
1. 新宿へ映画を見に行きます。
2. スーパーへ肉や野菜を買いに行きます。
3. 友だちと食事に行きます。
4. 上野へアルバイトに行きます。
5. 日曜日に買い物に行きます。
6. すしを食べに行きます。

〔2〕
1. 買い物をしに行きました。
2. お金を出しに行きました。
3. アルバイトをしに行きました。
4. 友だちとお酒を飲み（食事をし）に行きました。
5. 絵をかきに行きました。

〔3〕
1. ひらがなを勉強します。それからカタカナを勉強します。
2. ステーキを食べます。それからコーヒーを飲みます。
3. 銀行へお金を出しに行きます。それからデパートで買い物をします。

〔4〕
1. はい、行きました。デパートへ行きました。
2. いいえ、何も買いませんでした。
3. はい、来ます。ヤンさんが来ます。

第16課
形の練習
〔1〕

	待って	起きて
聞いて	行って	借りて
歩いて	作って	開けて
急いで	とって	食べて
話して	遊んで	来て
言って	飲んで	して
立って	買って	練習して

〔2〕
1. 少し待ってください。
2. たくさん食べてください。
3. うちで練習してください。
4. 早く来てください。
5. これを見てください。
6. 日本語で話してください。
7. 会議の準備をしてください。
8. ドアを閉めてください。
9. タクシーを呼んでください。

10. 5時に起きてください。
11. この薬を飲んでください。
12. 切符を買ってください。
13. 肉を切ってください。
14. テープを聞いてください。
15. 時間がありませんから、急いでください。

文の練習
〔1〕
1. A：リンさんは今何をしていますか。
   B：テープを聞いています。
2. A：パクさんは今何をしていますか。
   B：絵をかいています。
3. A：田中さんは今何をしていますか。
   B：料理を作っています。
4. A：青木先生は今何をしていますか。
   B：本を読んでいます。

〔2〕
1. ヤンさんはコーヒーを飲んでいますか。
   はい、飲んでいます。／いいえ飲んでいません。
2. サリさんは日本語を勉強していますか。
   はい、勉強しています。／いいえ、勉強していません。
3. ピエールさんはテレビを見ていますか。
   はい、見ています。／いいえ、見ていません。
4. コウさんは友だちを待っていますか。
   はい、待っています。／いいえ、待っていません。

〔3〕
1. A：あのビルへ行ってください。
2. A：ドアを開けてください。
3. A：こちらへ来てください。
4. A：ここで待ってください。
5. A：明日の朝電話をかけてください。

第17課
形の練習
〔1〕
A
1. めがねをかけています。
2. スニーカーをはいています。
3. ネクタイをしています。
4. セーターを着ています。
5. かばんを持っています。
6. ズボンをはいています。
7. スカートをはいています。

B
1. 結婚しています。
2. 住んでいます。
3. 売っています。

文の練習
〔1〕
1. 山田さんはめがねをかけています。
2. サリさんはくつをはいています。
3. 森先生はネクタイをしめています。
4. ジョンさんはセーターを着ています。
5. キムさんはかばんを持っています。

〔2〕
1. Ｂ：いいえ、独身ではありません。結婚しています。
2. Ｂ：はい、結婚しています。
3. パク：ブラウンさんはどこに住んでいますか。
　　ブラウン：私は渋谷区に住んでいます。
　　　　　　　あなたはどこに住んでいますか。
　　パク：私は新宿区に住んでいます。

第18課
形の練習
〔1〕
1. 乗って、降りて、歩きます。
2. 食べて、飲んで、出かけます。
3. 読んで、書いて、話します。
4. 見て、聞いて、言います。
5. 行って、会って、帰ります。
6. 作って、食べて、飲んで、寝ます。

〔2〕
1. 買い物をしてから、うちへ帰ります。
2. 電話をかけてから、先生の家へ行きます。
3. 日記を書いてから、寝ます。
4. 仕事が終ってから、ビールを飲みます。
5. 勉強をしてから、散歩に行きます。

文の練習
〔1〕
1. 新聞を読んで、コーヒーを飲んで、日本語を勉強します。
　　新聞を読んで、コーヒーを飲んでから、日本語を勉強します。
2. 手紙を書いて、おふろに入って、テレビを見ます。
　　手紙を書いて、おふろに入ってから、テレビを見ます。
3. 新宿で電車に乗って、池袋で降りて、10分ぐらい歩きます。
　　新宿で電車に乗って、池袋で降りてから、10分ぐらい歩きます。
4. 7時半にうちを出て、9時に学校に着いて、少し休みます。
　　7時半にうちを出て、9時に学校に着いてから、少し休みます。
5. 1時ごろ学校を出て、スーパーで買い物をして、うちへ帰ります。
　　1時ごろ学校を出て、スーパーで買い物をしてから、うちへ帰ります。

〔2〕
1. 朝ご飯を食べて、学校へ行って、勉強します。
2. 7時に起きて、新聞を読んで、朝ごはんを食べます。
3. 散歩して、うちへ帰って、テレビを見ます。
4. 学校へ行って、勉強して、うちへ帰ります。
5. うちへ帰って、新聞を読んで、テレビを見ます。

6. 新聞を読んで、テレビを見て、寝ます。

第19課
形の練習
〔1〕
1. 小さくて
2. 寒くて
3. 安くて
4. やわらかくて
5. 長くて
6. 若くて
7. きれいで
8. 親切で
9. にぎやかで
10. 簡単で

〔2〕
1. 新しくて、きれいです。
   きれいで、新しいです。
2. 古くて、汚いです。
   汚くて、古いです。
3. 安くて、おいしいです。
   おいしくて、安いです。
4. 簡単で、おもしろいです。
   おもしろくて、簡単です。
5. やさしくて、きれいです。
   きれいで、やさしいです。
6. 背が高くて、ハンサムです。
   ハンサムで、背が高いです。

〔3〕
1. おもしろくて、いいです。
2. きれいで、いいです。
3. 広くて、いいです。
4. 暖かくて、いいです。
5. 元気で、いいです。
6. 軽くて、いいです。

文の練習
〔1〕（解答例）
1. アイスクリームは、冷たくて、おいしいです。／冷たくて、あまいです。
2. ケーキは、あまくて、やわらかいです。／あまくて、おいしいです。
3. 女の人は、目が大きくて、きれいです。
4. 新幹線は、速くて、便利です。／きれいで、速いです。
5. 部屋は、広くて、きれいです。

〔2〕
1. A：あのレストランはどうですか。
   B：高くて、まずいですよ。
2. A：山下先生はどんな人ですか。
   B：若くて、親切ですよ。
3. A：あなたのアパートはどうですか。
   B：せまくて、汚いですよ。
4. A：あなたの町はどんなところですか。
   B：にぎやかで、便利ですよ。
5. A：キムさんはどんな学生ですか。
   B：頭がよくて、まじめですよ。

〔3〕
1. B：やさしくて、いい人ですよ。
2. B：きれいで、いいところですよ。
3. B：広くて、いい家ですよ。

第20課
形の練習
〔1〕
1. 話してもいいです／話してはいけません
2. 書いてもいいです／書いてはいけません
3. とってもいいです／とってはいけません
4. 見てもいいです／見てはいけません
5. 帰ってもいいです／帰ってはいけません
6. 来てもいいです／来てはいけません

文の練習
〔1〕
1. A：中国語で話してもいいですか。
   B：いいえ、話してはいけません。
2. A：辞書を見てもいいですか。
   B：はい、見てもいいです。
3. A：うちへ帰ってもいいですか。
   B：はい、帰ってもいいです。
4. A：教室でビールを飲んでもいいですか。
   B：いいえ、飲んではいけません。
5. A：明日学校を休んでもいいですか。
   B：はい、休んでもいいです。

〔2〕
1. はい、つけてもいいです。
   いいえ、つけてはいけません。
2. はい、飲んでもいいです。
   いいえ、飲んではいけません。
3. はい、帰ってもいいです。
   いいえ、帰ってはいけません。
4. はい、消してもいいです。
   いいえ、消してはいけません。
5. はい、開けてもいいです。
   いいえ、開けてはいけません。

〔3〕
1. はい、書きました。
   いいえ、まだ書いていません。今晩、書きます。
2. はい、終わりました。
   いいえ、まだ終わっていません。もうすぐ終わります。
3. はい、払いました。
   いいえ、まだ払っていません。明日払います。

読みもの ②　卵焼き
（ 2 ）さとうとしおを入れます。　　　（ 6 ）まきます。
（ 4 ）コンロに火をつけます。　（ 3 ）よくまぜます。

（ 1 ）たまごをわります。　　（ 5 ）あぶらをぬります。

第21課
形の練習
〔1〕

	借りない
行かない	起きない
使わない	見ない
話さない	着ない
待たない	開けない
買わない	食べない
呼ばない	寝ない
走らない	来ない
とらない	しない
会わない	勉強しない

〔2〕
1. たばこを吸わないでください。
2. 写真をとらないでください。
3. となりの人と話さないでください。
4. 電気を消さないでください。
5. ドアを開けないでください。
6. この部屋に入らないでください。
7. お酒を飲まないでください。
8. かぎをかけないでください。
9. 何も食べないでください。
10. こちらへ来ないでください。
11. うちで洗濯しないでください。
12. 遅刻をしないでください。
13. 学校を休まないでください。
14. 教科書を見ないでください。
15. 電話番号を忘れないでください。
16. どこも行かないでください。
17. 車を止めないでください。
18. この電話を使わないでください。
19. パスポートをなくさないでください。
20. 心配しないでください。

【文の練習】
〔1〕
1. 電気を消さないでください。
2. 写真をとらないでください。
3. 機械にさわらないでください。
4. 家に入らないでください。
5. 窓を開けないでください。

〔2〕
1. いいえ、閉めないでください。
2. いいえ、入らないでください。
3. いいえ、帰らないでください。
4. いいえ、休まないでください。

5. いいえ、かけないでください。
6. いいえ、とらないでください。
7. いいえ、捨てないでください。
8. いいえ、つけないでください。
9. いいえ、止めないでください。

第22課
【形の練習】
〔1〕
1. 着ない　　→着なければなりません。　　→着なくてもいいです。
2. 起きない　→起きなければなりません。　→起きなくてもいいです。
3. 話さない　→話さなければなりません。　→話さなくてもいいです。
4. 返さない　→返さなければなりません。　→返さなくてもいいです。
5. 買わない　→買わなければなりません。　→買わなくてもいいです。
6. 作らない　→作らなければなりません。　→作らなくてもいいです。
7. 見ない　　→見なければなりません。　　→見なくてもいいです。
8. 来ない　　→来なければなりません。　　→来なくてもいいです。
9. しない　　→しなければなりません。　　→しなくてもいいです。
10. 準備しない→準備しなければなりません。→準備しなくてもいいです。

〔2〕
1. お金を払わなければなりません。
2. 銀行へ行かなければなりません。
3. 国へ帰らなければなりません。
4. お金を返さなければなりません。
5. 漢字を覚えなければなりません。
6. 切手をはらなければなりません。
7. 日本語で話さなければなりません。
8. 薬を飲まなければなりません。

〔3〕
1. 砂糖を入れなくてもいいです。
2. 返事を書かなくてもいいです。
3. 掃除をしなくてもいいです。
4. テストを受けなくてもいいです。
5. ドアを閉めなくてもいいです。
6. 朝早く起きなくてもいいです。
7. お金を返さなくてもいいです。
8. 切符を買わなくてもいいです。

文の練習
〔1〕
1. 友だちが来ますから、6時までに帰らなければなりません。
2. 熱がありますから、薬を飲まなければなりません。
3. 明日は出張ですから、早く起きなければなりません。
4. 午後、会議がありますから、みんなに連絡しなければなりません。
5. これは友だちの本ですから、土曜日に返さなければなりません。

〔2〕
1. 暑くないですから、エアコンをつけなくてもいいです。
2. カードで買いますから、お金を払わなくてもいいです。
3. 歩いて行きますから、タクシーを呼ばなくてもいいです。

4. まだ使いますから、かたづけなくてもいいです。
5. もう元気ですから、薬を飲まなくてもいいです。
〔3〕
1. 今月の10日までに返さなければなりません。
2. 1人1,500円払わなければなりません。
3. いいえ、10時に始まりますから、朝早く来なくてもいいです。
4. 3時間くらい練習しなければなりません。
5. いいえ、まだ早いですから、準備しなくてもいいです。

第23課
形の練習
〔1〕
1. 私はスキーができます。
2. 中田さんは中国語ができます。
3. サリさんは車の運転ができます。
4. 青木先生はダンスができます。
5. ピエールさんはサッカーができます。
〔2〕
1. ピエールさんは中国語ができません。
2. 若山さんはイタリア語ができません。
3. 田中さんは水泳ができません。
4. ピエールさんは料理ができません。
5. ヤンさんはゴルフができません。
〔3〕
1. 私は中国語がわかります。
2. キムさんは講義がわかります。
3. サリさんはこの漢字がわかります。
4. ヤンさんはローマ字がわかります。
5. リーさんは難しいことばがわかります。
〔4〕
1. 私は電話のかけ方がわかりません。
2. ブラウンさんは漢字の読み方がわかりません。
3. ピエールさんは日本語の手紙の書き方がわかりません。
4. リンさんは英語の勉強のし方がわかりません。
5. アントニオさんはてんぷらの作り方がわかりません。

文の練習
〔1〕
1. パクさんは英語ができます。
2. 青木先生はスキーができます。
3. サリさんは車の運転ができます。
4. ピエールさんはゴルフができます。
5. アントニオさんは料理ができます。
〔2〕
1. ブラウンさんは日本語がわかります。
2. シンさんは講義がわかります。
3. ヤンさんは電話のかけ方がわかります。
4. ブラウンさんは手紙の書き方がわかります。
5. ピエールさんはカメラの使い方がわかります。

〔3〕
1. はい、できます。
   いいえ、できません。
2. はい、わかります。/はい、少しわかります。
   いいえ、わかりません。/いいえ、ぜんぜんわかりません。
3. はい、わかります
   いいえ、わかりません。
4. はい、できます。
   いいえ、できません。
5. はい、わかります。/はい、少しわかります。
   いいえ、わかりません。/いいえ、ぜんぜんわかりません。

第24課
形の練習
〔1〕

```
        買う
行く    起きる
使う    見る
話す    借りる
待つ    寝る
読む    来る
とる    する
走る    勉強する
```

〔2〕
1. ブラウンさんはピアノをひくことができます。
2. アントニオさんはひらがなを書くことができます。
3. サリさんは日本の歌を歌うことができます。
4. ヤンさんはビールを10本飲むことができます。
5. ピエールさんはイタリア語を話すことができます。
6. 鳥は空を飛ぶことができます。

〔3〕
1. キャンプをすることができます。
2. たばこを吸うことができます。
3. 車を止めることができます。
4. タクシーを呼ぶことができます。
5. 円をドルにかえることができます。
6. この電話を使うことができます。

〔4〕
1. 山川さんは英語で電話をかけることができません。
2. ピエールさんは朝早く起きることができません。
3. パクさんはてんぷらを作ることができません。
4. 教室でたばこを吸うことができません。
5. ここに車を止めることができません。
6. ここでキャンプをすることができません。

文の練習
〔1〕
1. シンさんは朝早く起きることができます。
2. ブラウンさんはピアノをひくことができます。

3. サリさんは日本語の新聞を読むことができます。
4. アントニオさんは料理を作ることができます。
〔2〕
1. A：行くことができます（か）
   B：行って（ください）
2. A：かけることができます（か）
   B：かけて（ください）
3. A：かえることができます（か）
   B：かえて（ください）
4. A：止めることができます（か）
   B：止めて（ください）
5. A：買うことができます（か）
   B：買って（ください）

第25課
形の練習
〔1〕
1. 私の趣味は絵をかくことです。
2. 私の趣味は山へ行くことです。
3. 私の趣味は音楽を聞くことです。
4. 私の趣味は本を読むことです。
5. 私の趣味はテニスをすることです。（私の趣味はテニスです。）
6. 私の趣味はおいしいものを食べることです。
〔2〕
1. 寝るまえに、シャワーを浴びます。
2. 泳ぐまえに、体操をします。
3. 旅行をするまえに、かばんを買います。
4. 出かけるまえに、カーテンを閉めます。
5. 友だちのうちへ行くまえに、ケーキを買います。
6. スーパーへ行くまえに、銀行へ行きます。
〔3〕
1. 旅行のまえに、ホテルの予約をします。
2. 会議のまえに、書類をコピーします。
3. テストのまえに、勉強します。
4. 卒業のまえに、写真をとります。
5. パーティーのまえに、飲み物を準備します。
6. 帰国のまえに、おみやげを買います。

文の練習
〔1〕
1. パクさんの趣味は絵をかくことです。
2. シンさんの趣味は旅行をすることです。
3. 森先生の趣味はテニスをすることです。
4. キムさんの趣味は音楽を聞くことです。
5. ヤンさんの趣味は本を読むことです。
〔2〕
1. 寝るまえに、日記を書きます。
2. 「文の練習」をするまえに、「形の練習」をします。
3. 先生の家へ行くまえに、先生に電話をかけました。

4. 食事をするまえに、ビールを少し飲みました。
〔3〕（解答例）
1. 旅行をするまえに／旅行のまえに
2. 出かけるまえに
3. 電車に乗るまえに
4. 帰国するまえに／帰国のまえに
5. テスト（試験）のまえに／テスト（試験）をうけるまえに
6. 食事をする（ごはんを食べる）まえに／食事（ごはん）のまえに
7. 泳ぐまえに
8. パーティーのまえに／友だちが来るまえに
9. 会議のまえに
10. 出かけるまえに

第26課
形の練習
〔1〕

		話します	話した
行きます	行った	起きます	起きた
急ぎます	急いだ	見ます	見た
貸します	貸した	借ります	借りた
待ちます	待った	食べます	食べた
死にます	死んだ	かけます	かけた
呼びます	読んだ	来ます	来た
読みます	読んだ	します	した
とります	とった	勉強します	勉強した
会います	会った	食事します	食事した

〔2〕
1. 新聞を読んだ
2. 学校へ来た
3. テレビを見た
4. 英語で話した
5. 電話をかけた

〔3〕
1. サリさんは音楽を聞いた
2. 森先生はたばこを吸った
3. ヤンさんは写真をとった
4. ピエールさんは早く寝た
5. コウさんはアパートを借りた

〔4〕
1. 勉強したあとで、おふろに入ります
2. 買い物のあとで、友だちの家へ行きます
3. 「形の練習」をしたあとで、「文の練習」をします
4. 食事のあとで、国に電話をかけます
5. 考えたあとで、決めます

文の練習
〔1〕
1. A：映画を見たあとで何をしましたか。
　　B：食事をしました。

2. A：おふろに入ったあとで、何をしましたか。
　　B：寝ました。
3. A：ミーティングをしたあとで、何をしましたか。
　　B：レポートを書きました。
4. A：ごはんを食べたあとで（食事をしたあとで）、何をしましたか。
　　B：テレビを見ました。
〔2〕（解答例）
1. 仕事が終わったあとで？　そうですねえ…。家に帰ります。それから食事をします。
2. 勉強をしたあとで？　そうですねえ…。テレビを見ます。それから本を読みます。
3. 授業のあとで？　そうですねえ…。お茶を飲みます。それから買い物をします。

第27課
形の練習
〔1〕
1. 新幹線に乗ったことがあります。
2. さしみを食べたことがあります。
3. 一人で旅行したことがあります。
4. 日本語で電話をかけたことがあります。
5. この歌を聞いたことがあります。

〔2〕
1. リンさんはフランスに住んだことがありません。
2. ピエールさんは納豆を食べたことがありません。
3. ヤンさんは日本のお寺に行ったことがありません。
4. サリさんはスキーをしたことがありません。
5. コウさんは温泉に入ったことがありません。

〔3〕
1. 本を読んだり、勉強したりします。
2. 買い物をしたり、カラオケに行ったりします。
3. 掃除をしたり、料理を作ったりします。
4. 手紙を書いたり、雑誌を見たりします。
5. お酒を飲んだり、ボーリングをしたりします。

〔4〕
1. 友だちとお茶を飲んだり、デパートへ行ったりしました。
2. 部屋を掃除したり、かたづけたりしました。
3. テープを聞いたり、漢字の練習をしたりしました。
4. 船に乗ったり、新幹線に乗ったりしました。
5. 国の家族に電話をかけたり、新聞を読んだりしました。

文の練習
〔1〕（解答例）
1. A：サリさんの恋人に会った
　　B：きれいな人でした。
2. A：原宿へ行った
　　B：とてもにぎやかでした。
3. A：テレビゲームをした
　　B：おもしろかったです。／楽しかったです。
〔2〕（解答例）
1. お茶を飲んだり、友だちと話したりしました。
2. 公園を散歩したり、映画を見に行ったりします。

3. 買い物に行ったり、料理を作ったりしました。
4. 山へ行ったり、旅行をしたりしました。
〔3〕
1. お金が2,000円しかありません。
2. お酒はビールしか飲みません。
3. 日曜日しか休みません。
4. 国でひらがなしか勉強しませんでした。
5. 外国語は日本語しかわかりません。

第28課
形の練習
〔1〕

行く	行かない	行った	行かなかった
急ぐ	急がない	急いだ	急がなかった
貸す	貸さない	貸した	貸さなかった
待つ	待たない	待った	待たなかった
死ぬ	死なない	死んだ	死ななかった
呼ぶ	呼ばない	呼んだ	呼ばなかった
とる	とらない	とった	とらなかった
ある	ない	あった	なかった
会う	会わない	会った	会わなかった
起きる	起きない	起きた	起きなかった
食べる	食べない	食べた	食べなかった
来る	来ない	来た	来なかった
する	しない	した	しなかった

おいしい	おいしくない	おいしかった	おいしくなかった
いい	よくない	よかった	よくなかった
元気だ	元気ではない	元気だった	元気ではなかった
	元気じゃない		元気じゃなかった
休みだ	休みではない	休みだった	休みではなかった
	休みじゃない		休みじゃなかった

〔2〕
1. サリさんは自分で料理を作る。
2. パクさんは昨日テレビを見なかった。
3. ピエールさんの家は学校から近い。
4. ブラウンさんは納豆があまりすきではない。／すきじゃない。
5. 先週の日曜日、友だちと映画を見た。
6. 今日この仕事をしなければならない。
7. ヤンさんは日本語で電話をかけることができる。
8. シンさんは九州へ行ったことがある。
9. サリさんは九州へ行ったことがない。
10. 明日から休みだから、学校へ来なくてもいい。

文の練習
〔1〕
1. 昨日、映画を見た？うん、見た。／ううん、見なかった。
2. 明日、出席する？うん、出席する。／ううん、出席しない。
3. 今度の日曜日ひま？うん、ひまだ。／ううん、ひまじゃない。

4. リンさんは、今勉強している？うん、（勉強）している。／ううん、（勉強）していない。
5. この電車は速い？うん、速い。／ううん、速くない。
6. この漢字を読むことができる？うん、できる。／ううん、できない。
7. 京都へ行ったことがある？うん、ある。／ううん、ない。
8. あの店は月曜日休み？うん、休みだ。／ううん、休みじゃない。
9. あの人を知っている？うん、知っている。／ううん、知らない。
10. 明日までにこの仕事をしなければならない？
　　うん、しなければならない。／ううん、しなくてもいい。
〔2〕
1. A：これからどこへ行く？　B：図書館へ行く。
2. A：勉強のあとで、何をする？　B：ご飯を食べる。
3. A：どうやって京都へ行く？　B：新幹線で行く。
4. A：どう。　B：元気だ。
5. A：いつ日本へ来た？　B：今年の4月に来た。

第29課
形の練習
〔1〕
1. 行くと思います。
2. 帰ると思います。
3. 来ないと思います。
4. 学生だと思います。
5. 天気がいいと思います。
〔2〕
1. 休むでしょう。
2. 終るでしょう。
3. 難しいでしょう。
4. できないでしょう。
5. 雨が降るでしょう。
〔3〕
1. 青木先生はフランス語ができるでしょう。
2. リンさんは今度のパーティーに来ないでしょう。
3. あの人は中国人でしょう。
4. 今年の冬は暖かいでしょう。
5. そのカメラはとても高かったでしょう。
〔4〕
1. 今度の日曜日は晴れると思います。
2. 川中さんは旅行に行かないと思います。
3. 次の月曜日、図書館は休みだと思います。
4. シンさんは今日、ひまではない（ひまじゃない）と思います。
5. 森先生は明日、忙しいと思います。

文の練習
〔1〕
1. はい、きっとできると思います。
2. はい、たぶんフランス人だと思います。
3. いいえ、たぶんよくないと思います。
4. はい、きっと食べると思います。
5. いいえ、きっと寒くないと思います。

6. はい、たぶん帰ると思います。
〔2〕
1. たぶんわかると思います。
2. きっと難しいと思います。
3. たぶん大きい家だと思います。
4. たぶんフランス人だと思います。
5. たぶんだいじょうぶだと思います。
〔3〕
1. たぶん今夜は雨が降ると思います。
   たぶん今夜は雨が降るでしょう。
2. たぶんあの人はアメリカ人だと思います。
   たぶんあの人はアメリカ人でしょう。
3. たぶんマレーシアは暑いと思います。
   たぶんマレーシアは暑いでしょう。
4. たぶん田中さんはひまだと思います。
   たぶん田中さんはひまでしょう。
5. たぶんサリさんは魚を食べないと思います。
   たぶんサリさんは魚を食べないでしょう。

第30課
形の練習
〔1〕
1. 明日返すビデオ
2. 今晩会う友だち
3. あまり勉強しない学生
4. お昼に食べるお弁当
5. よく働く人
6. 友だちが住んでいる家
7. 日本語で書いた作文
8. 自分で作ったケーキ
9. 昨日学校を休んだ人
10. ピエールさんが書いた作文
11. 中国から来たパンダ
12. 大学に入りたい人
13. 今日買わなければならない物
14. いつも食べに行く店
15. 行ったことがない場所

文の練習
〔1〕
A
1. これはお昼に食べるお弁当です。
2. これは私が作ったケーキです。
B
1. これは私が読んでいる小説です。
2. それは青木先生がいつも使っているテープレコーダーです。
3. これは明日返すビデオです。
4. これは京都で買った人形です。
5. これは図書館で借りた本です。

6. それはピエールさんが書いた作文です。
7. あれは友だちが住んでいる家です。
8. それは箱根でとった写真ですか。

〔2〕
1. いつも食べに行く店は、安くて、おいしいです。
2. 昨日見た映画はおもしろかったです。
3. 中国から来たパンダは動物園にいます。
4. リンさんが借りている部屋は、広くて、きれいです。
5. 大学に入りたい人はクラスに5人います。
6. 今日買わなければならない物は肉と卵です。
7. 明日会う友だちはイギリス人です。
8. 兄が働いている会社はアメリカの会社です。
9. あなたが食べているくだものは何ですか。
10. 試験を受けた人はだれですか。

〔3〕
1. 夜食べる物を買いに行きます。
2. 意味がわからないことばを辞書で調べます。
3. ゆうべ書いた手紙を今朝出しました。
4. 旅行に持っていく荷物を今準備しています。
5. 箱根でとった写真を見ましたか。

読みもの 3　みどり町図書館

1. （〇）
2. （〇）
3. （×）
4. （〇）
5. （×）
6. （×）
7. （×）